This book belongs to

COFRESTRI ANGHYDFFURFIOL CYMRU

NONCONFORMIST REGISTERS OF WALES

COFRESTRI
ANGHYDFFURFIOL CYMRU

NONCONFORMIST
REGISTERS OF WALES

Golygydd : Editor
Dafydd Ifans

LLYFRGELL GENEDLAETHOL CYMRU
a GRŴP ARCHIFYDDION SIROL CYMRU

NATIONAL LIBRARY OF WALES &
WELSH COUNTY ARCHIVISTS' GROUP

ABERYSTWYTH
1994

Mae cofnod catalogio'r llyfr hwn ar gael gan y Llyfrgell Brydeinig.

The cataloguing record for this book is available from the British Library.

ISBN: 0-907158-75-7

Argraffwyd ar wasg Llyfrgell Genedlaethol Cymru, Aberystwyth
Printed at the press of the National Library of Wales, Aberystwyth

RHAGAIR

Cafodd *Cofrestri Plwyf Cymru* groeso brwd ers ei chyhoeddi gyntaf yn 1986. Pleser arbennig yw cael cyflwyno'r chwaer-gyfrol hon a fydd, fe hyderir, lawn mor dderbyniol gan haneswyr ac achyddwyr. Dichon nad yw'r ffynonellau gwerthfawr hyn mor gyfarwydd â'r cofrestri plwyf, ac yn wyneb y chwalfa fawr sy'n digwydd ar hyn o bryd wrth i gynifer o gapeli gau mae'n fwy rheidiol fyth ddiogelu cofrestri a chofysgrifau ein capeli. Sail y gwaith hwn yw cronfa ddata Llyfrgell Genedlaethol Cymru, 'Capeli Cymru', sy'n rhestri dros bum mil a hanner o achosion crefyddol.

Ffrwyth cydweithio rhwng y Llyfrgell Genedlaethol ac archifdai Cymru yw'r gyfrol hon fel ei rhagflaenydd a chafwyd hefyd gydweithrediad parod Mr Peter White, yr Ysgrifennydd, a staff Comisiwn Brenhinol Henebion yng Nghymru. Yr wyf yn ddiolchgar iawn i Mr Dafydd Ifans, Ceidwad Cynorthwyol yn Adran Llawysgrifau a Chofysgrifau'r Llyfrgell Genedlaethol, a gynlluniodd ac a olygodd y gyfrol, ac i'w gynorthwywyr am eu gwaith gofalus. Rhaid diolch unwaith eto i Uned Argraffu'r Llyfrgell Genedlaethol am waith nodweddiadol lân.

Brynley F. Roberts
Llyfrgellydd
Ionawr 1994

FOREWORD

Parish Registers of Wales has been warmly welcomed ever since its first appearance in 1986. It is a particular pleasure to present this companion volume which will, I hope, prove to be equally acceptable to historians and genealogists. These valuable sources may not be as familiar as the parish registers, and at a time when so many Welsh chapels are closing their doors it becomes ever more imperative that chapel records and registers should be preserved. This work is based upon the 'Capeli Cymru' database of some 5,500 entries at the National Library of Wales.

Like its predecessor, this volume is the result of the co-operation of the National Library of Wales and the Welsh record offices, and the ready assistance of Mr Peter White, Secretary, and staff of the Royal Commission on Ancient and Historical Monuments in Wales is greatly appreciated. I am grateful to Mr Dafydd Ifans, Assistant Keeper in the Department of Manuscripts and Records, who planned and edited the work, and to all his colleagues for their careful work. Once more I have to thank the Printing Unit of The National Library for their expertise.

Brynley F. Roberts
Librarian
January 1994

CYMRU
WALES

YR HEN SIROEDD A'R NEWYDD
THE OLD AND NEW COUNTIES

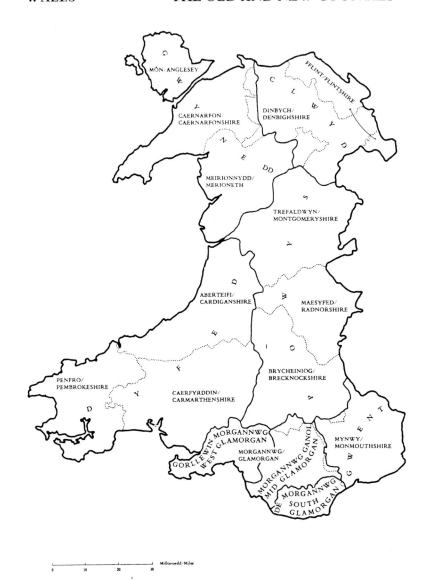

MÔN/ANGLESEY

FFLINT/FLINTSHIRE

C L W Y D D

CAERNARFON/
CAERNARFONSHIRE

DINBYCH/
DENBIGHSHIRE

G W Y N E D D

MEIRIONNYDD/
MERIONETH

TREFALDWYN/
MONTGOMERYSHIRE

P O W Y S

ABERTEIFI/
CARDIGANSHIRE

MAESYFED/
RADNORSHIRE

D Y F E D

BRYCHEINIOG/
BRECKNOCKSHIRE

PENFRO/
PEMBROKESHIRE

CAERFYRDDIN/
CARMARTHENSHIRE

MYNWY/
MONMOUTHSHIRE

GWENT

GORLLEWIN MORGANNWG/
WEST GLAMORGAN

MORGANNWG/
GLAMORGAN

MORGANNWG GANOL/
MID GLAMORGAN

DE MORGANNWG/
SOUTH GLAMORGAN

Milltiroedd/Miles
0   10   20   30

.... YR HEN SIROEDD/THE OLD COUNTIES
───────────── Y SIROEDD NEWYDD/THE NEW COUNTIES

CYNNWYS

CONTENTS

LLUNIAU

ILLUSTRATIONS

Cydnabyddiaeth/Acknowledgements
Brown University Library, Providence, Rhode Island 1; Llyfrgell Genedlaethol Cymru/
National Library of Wales 2; The Society of Friends, Friends House, 3; Yr Archifdy Gwladol/
The Public Record Office 4-8, 10; Archifdy Sirol Gwent/Gwent County Record Office 9;
Archifdy Clwyd/Clwyd Record Office 11; Gwasanaeth Archifau Gwynedd/Gwynedd Archives
Service 12.

CYDNABYDDIAETH

Seiliwyd y gyfrol hon ar y mynegai cyfrifiadurol 'Capeli Cymru' a luniwyd ar ran y Llyfrgell Genedlaethol gan Beryl Hughes Griffiths, Llanuwchllyn, rhwng 1986 a 1989, ac ni ellir gorbwysleisio dibyniaeth y gyfrol ar ei gwaith trylwyr. Cafwyd cymorth amhrisiadwy gan Rhiannon Michaelson-Yeates wrth baratoi'r deunydd ar gyfer y wasg, gan weithredu yn olygydd cynorthwyol teilwng iawn i'r gyfrol. Ychwanegwyd cyfeiriadau diweddarach at y gwaith gan Barbara Davies a chafwyd llawer o gymorth golygyddol ganddi hefyd.

Rhaid diolch yn galonnog i'r holl archifdai sirol yng Nghymru am eu cydweithrediad parod yn y fenter hon ac yn arbennig i'r unigolion canlynol: Kevin Matthias, Christopher J. Williams (Clwyd); Janet Marx, John Davies, Clive Hughes, Sarah Bowen (Dyfed); Susan Beckley (Gorllewin Morgannwg); Anthony Hopkins, Frances Younson (Gwent); Gareth Haulfryn Williams, Anne Venables, Einion Wyn Thomas, Steffan ab Owain (Gwynedd); Rosemary Davies, Heather Breeze (Morgannwg), Alun Edwards (Powys); ac i Tomos Roberts, Adran y Llawysgrifau, Prifysgol Cymru, Bangor. Diolch hefyd i nifer o lyfrgellwyr lleol Cymru am eu cymorth parod, yn enwedig Carolyn Jacob (Merthyr Tudful) a Huw Jones (Wrecsam), ac i'r archifyddion canlynol o archifdai yn Lloegr: Rosamund Cummings (Friends House, Llundain); P. R. Evans (Caerloyw); Miss D. S. Hubbard (Henffordd); a Michael J. Hughes (Amwythig). Yr wyf yn ddyledus iawn i lu o gydweithwyr, cyfeillion ac unigolion ledled Cymru, rhy niferus i'w henwi, sydd wedi cynorthwyo yn y dasg enfawr o leoli'r capeli ar fap. Diolch o galon i bob un ohonynt am eu cymorth.

Dymunaf ddiolch yn ddiffuant i Annwen K. Davies o Uned Awtomatiaeth y Llyfrgell Genedlaethol am lwyddo i drosglwyddo'r deunydd perthnasol o gronfa ddata 'Capeli Cymru' i un o gyfrifiaduron Uned yr Argraffwyr. Diolch hefyd i staff Comisiwn Brenhinol Henebion yng Nghymru, Plas Crug, Aberystwyth, am gynorthwyo gyda'r gwaith o ddarganfod rhifau grid llawer iawn o'r capeli, ac yn enwedig i Terry James, y Swyddog Awtomatiaeth am drosglwyddo'r wybodaeth ac i Julie Stanton a gafodd y gwaith llafurus o chwilio'r mapiau. Cwblhawyd y gwaith hwnnw yn Adran Darluniau a Mapiau'r Llyfrgell Genedlaethol a rhaid diolch i Robert Davies a staff yr ystafell ddarllen yno am eu hir amynedd a'u cefnogaeth.

Mae fy niolch i Dr Edwin Welch, Canada, am gael defnyddio ei erthygl ar gofysgrifau anghydffurfiol yn sail i'r rhan hanesyddol o'r rhagymadrodd; i'm cydweithiwr, Philip Wyn Davies, am ei ofal manwl a chydwybodol arferol wrth ddarllen dros y rhagymadrodd ac am ei gyngor doeth a'm cadwodd rhag llithro'n aml; ac i'm cydweithwyr, Mary Davies, Glyn Parry, a John Watts-Williams, a'm cyn-gydweithwyr R. W. McDonald a Dr M. Auronwy James am gynghorion amrywiol ynglŷn â'r gyfrol.

Yn olaf hoffwn ddiolch yn arbennig i Alan Thomas am gynllunio'r gyfrol ac am ei waith ef a'i gydweithwyr David Eldridge a Michael Binks, dan arolygaeth Ambrose Roberts, yn cynhyrchu'r gyfrol ar wasg y Llyfrgell yn unol â safonau uchel eu crefft; i Colin Venus a Gareth Lloyd Hughes am baratoi'r lluniau; ac i Huw Ceiriog Jones am ei gydweithrediad parod wrth weld y gyfrol drwy'r wasg.

Ionawr 1994

ACKNOWLEDGEMENTS

This volume is based on the database 'Capeli Cymru' which was produced on behalf of the National Library of Wales by Beryl Hughes Griffiths, Llanuwchllyn, between 1986 and 1989, and the reliance of the present book on the meticulous work carried out by Mrs Griffiths cannot be overemphasized. Invaluable assistance was given by Rhiannon Michaelson-Yeates in the preparation of the data for the press, acting as a most able assistant editor. Later references were added to the index by Barbara Davies, who also rendered a great deal of editorial assistance in the preparation of the text.

We are indebted to all the county record offices of Wales for their willing co-operation in this venture, and special thanks are due to the following individuals: Kevin Matthias, Christopher J. Williams (Clwyd); Janet Marx, John Davies, Clive Hughes, Sarah Bowen (Dyfed); Rosemary Davies, Heather Breeze (Glamorgan); Anthony Hopkins, Frances Younson (Gwent); Gareth Haulfryn Williams, Anne Venables, Einion Wyn Thomas, Steffan ab Owain (Gwynedd); Alun Edwards (Powys); Susan Beckley (West Glamorgan); and to Tomos Roberts of the Manuscripts Department at the University of Wales, Bangor. Thanks are also due to a number of local librarians in Wales, particularly Carolyn Jacob (Merthyr Tydfil) and Huw Jones (Wrexham), and to the following archivists at record offices in England: Rosamund Cummings (Friends House, London); P. R. Evans (Gloucester); Miss D. S. Hubbard (Hereford) and Michael J. Hughes (Shrewsbury). I am greatly indebted to a host of colleagues, friends, and individuals all over Wales, too numerous to mention, who helped in the enormous task of locating the chapels on maps - their assistance in this matter is greatly appreciated.

I wish to thank Annwen K. Davies of the National Library's Automation Unit for her work in transferring the relevant information from the database to a computer in the Printing Department. The Library is also grateful to the Royal Commission on Ancient and Historical Monuments in Wales, Plas Crug, Aberystwyth, for their help in ascertaining Ordnance Survey grid references for many of the chapels, and especially to Terry James, their Automation Officer for transferring the information and to Julie Stanton who was given the arduous assignment of searching the maps. This work was completed in the Department of Pictures and Maps at the National Library, and thanks are due to Robert Davies and the reading room staff for their patience and support.

Dr Edwin Welch, Canada, deserves to be thanked for allowing me to base the historical part of the introduction on his article on nonconformist records; my colleague, Philip Wyn Davies, deserves heartfelt thanks for his conscientious and careful work in reading and correcting the introduction, which has saved me from making several errors; and I am also grateful to my colleagues, Mary Davies, Glyn Parry and John Watts-Williams, and past colleagues R. W. McDonald and Dr M. Auronwy James for their suggestions concerning this volume.

Lastly, I should like to thank Alan Thomas for setting out and designing this volume and for his work, and that of his colleagues David Eldridge and Michael Binks, under the supervision of Ambrose Roberts, in the production of this book on the Library's press according to their usual high standards; to Colin Venus and Gareth Lloyd Hughes for their work in the preparation of the photographs; and to Huw Ceiriog Jones for his ready co-operation in overseeing the volume through the press.

January 1994

RHAGYMADRODD

Bwriedir y gyfrol hon yn gymhares i'r gyfrol *Cofrestri Plwyf Cymru* a gynullwyd gan C. J. Williams a J. Watts-Williams ac a gyhoeddwyd yn 1986 gan Lyfrgell Genedlaethol Cymru a Grŵp Archifyddion Sirol Cymru mewn cydweithrediad â Chymdeithas yr Achyddwyr.

Er mai rhestr o gofrestri a gyflwynir yn y naill gyfrol fel y llall, y mae yna wahaniaeth sylfaenol rhwng y cofrestri plwyf a restrwyd yng nghyfrol 1986 a'r cofrestri anghydffurfiol a gofnodir yma. Cofnodion swyddogol yr eglwys wladol oedd cofrestri plwyf, cofnodion y gorchmynnwyd eu cadw am y tro cyntaf gan Thomas Cromwell yn 1538. Mae cofrestri un plwyf yng Nghymru, Gwaunysgor, sir y Fflint, yn cynnwys cofnodion yn mynd yn ôl i'r flwyddyn honno. Mae'r gofysgrif anghydffurfiol gynharaf o Gymru, sef llyfr eglwys y Bedyddwyr yn Llanilltud Gŵyr, yn dyddio o'r flwyddyn 1649, dros ganrif yn ddiweddarach. Yn wahanol i gofrestri plwyf, sydd wedi cael eu cadw yn ôl patrwm unffurf a sefydlwyd gan yr awdurdodau gwladol, ar ddull ffurflenni printiedig wedi eu rhwymo'n gyfrolau, yn achos priodasau o 1754 ac yn achos bedyddio a chladdu er 1813, cadwyd y cofrestri anghydffurfiol mewn dull digon mympwyol, heb ymyrraeth o du'r awdurdodau enwadol o safbwynt y cynnwys a'r dull o gofnodi, ac eithrio'r ddau enwad Methodistaidd. Yn yr un modd, ni chafwyd unrhyw orfodaeth na llawer o gyfarwyddyd gan yr enwadau ynglŷn â gosod y cofrestri anghydffurfiol ar adnau mewn sefydliadau cyhoeddus. Mae'r Eglwys yng Nghymru, ar y llaw arall, wedi pwyso ar y plwyfi i ddiogelu eu cofrestri gwreiddiol yn y Llyfrgell Genedlaethol er 1950. Yn 1976 caniatawyd i'r archifdai sirol hefyd dderbyn cofrestri a chofnodion plwyfol eglwysig yn ogystal. Gweithred wirfoddol fu gosod cofrestri anghydffurfiol ar adnau mewn sefydliadau cyhoeddus ac o'r herwydd, cyfartaledd isel o gapeli Cymru sydd wedi diogelu eu cofnodion yn y dull hwn.

Gwahaniaeth sylfaenol arall rhwng y ddau fath o gofrestri yw'r ffaith fod cofrestri plwyf yn cyfeirio at bobl a drigai o fewn y plwyfi daearyddol hynny, tra bod rhai cofrestri anghydffurfiol yn cynnwys enwau pobl o ardal eang iawn. Gydag anghydffurfwyr, felly, rhaid dilyn yn aml drywydd hanes achos unigol yn hytrach nag un daearyddol wrth chwilio am gyndeidiau. Enghreifftiau da o gofrestri sy'n cynnwys trigolion ardal gyfan yw cofrestr bedyddiadau Capel Ebenezer (A), Dinas Mawddwy, 1797-1837, mam eglwys i nifer fawr o ganghennau (PRO: RG 4/4033), a chofrestri genedigaethau Seion, Capel y Bedyddwyr, Nefyn, 1787-1851, (GASC XM 6254/1-2) sy'n cynnwys cofnodion am blant o ardal eang iawn, gan gynnwys Pistyll, Boduan, Aber-erch, Llannor, Bryncroes, Tudweiliog, Aberdaron a hyd yn oed Llanllyfni.

Gweinyddwyd nifer o fedyddiadau cynnar mewn tai annedd, cyn codi llawer o gapeli, a nodir y ffaith hon yn aml iawn mewn cofrestri, gan enwi'r cartref.

Yn ystod yr wythdegau, fe luniwyd mynegai gan Mrs Beryl Hughes Griffiths, Llanuwchllyn, ar ran y Llyfrgell Genedlaethol, sy'n amcanu at gynnwys cofnod o'r holl achosion anghydffurfiol a fu erioed yng Nghymru, gan nodi lleoliad cofysgrifau'r capeli hynny heddiw, lle'r oedd y wybodaeth honno ar gael. Rhestrwyd dros bum mil a hanner o gapeli ar y gronfa ddata 'Capeli Cymru', ond o'r rhain 1,350 yn unig a oedd wedi cyflwyno eu cofrestri ar adnau mewn sefydliad cyhoeddus.[1]

Bwriad y gyfrol hon yw cynnig rhestr o'r cofrestri hyn sydd ar adnau mewn sefydliadau cyhoeddus, gan nodi pa un ai cofnodion bedyddio, priodi, neu gladdu a gynhwysir ynddynt.[2] Bydd rhai ohonynt yn cynnwys cofnodion geni a marwolaeth yn ogystal. Heblaw cofrestri ffurfiol fe gynhwyswyd rhai mathau eraill o gofysgrifau anghydffurfiol sy'n cynnwys dyddiadau pendant, er enghraifft bonion tystysgrifau bedyddiadau a phriodasau, a rhestri 'Had yr Eglwys', lle cofnodir enwau plant yr eglwys cyn eu derbyn yn gyflawn aelodau. Ni chynhwyswyd unrhyw wybodaeth brintiedig, er enghraifft adroddiadau blynyddol capeli, a dylid cofio y gall ffynonellau felly gynnwys gwybodaeth o ddefnydd i achyddwyr. Nodir hefyd enwad y capel a chofnodir lleoliad y cofrestri trwy gynnwys byrfodd am y sefydliad perthnasol. Trwy gydweithrediad y Comisiwn Brenhinol Henebion yng Nghymru, llwyddwyd i sicrhau lleoliad y capeli ar fapiau O.S. y llywodraeth, gan nodi'r rhifau wyth ffigur er mwyn medru adnabod yr union leoliad yn fanwl. Yn ogystal â chofnodi cofrestri'r prif enwadau anghydffurfiol yng Nghymru, sef yr Annibynwyr, y Bedyddwyr, y Methodistiaid Calfinaidd (Presbyteriaid) a'r Methodistiaid Wesleaidd, ceir cyfeiriadau at enwadau llai fel y Crynwyr, yr Undodiaid, y Morafiaid a Chyfundeb Iarlles Huntingdon. Ni chynhwysir cyfeiriadau at gofrestri Catholig o Gymru gan fod manylion amdanynt newydd ymddangos mewn cyfrol a luniwyd gan Michael Gandy.[3] Digon yw nodi yma fod y gofrestr Gatholig gynharaf o Gymru, sef un Treffynnon, sir y Fflint, yn dechrau yn y flwyddyn 1698.

Hanes cofrestri anghydffurfiol

Ceir arweiniad awdurdodol i hanes cofrestri anghydffurfiol yn erthygl Dr Edwin Welch a ymddangosodd yn *Journal of the Society of Archivists*, cyfrol II, rhif 9 (Ebrill 1964), tt. 411-17. Fe'i hailgyhoeddwyd gan D. J. Steel yn *Sources for Nonconformist Genealogy and Family History* (Chichester, 1973), tt. 507-18. Fe ddengys Dr Welch nad oedd yr ychydig gynulleidfaoedd anghydffurfiol cyn cyfnod y Rhyfel Cartref yn cadw cofrestri a hynny oherwydd perygl erledigaeth. Daeth diwedd ar yr erlid gyda chwymp y drefn esgobol ond ni cheir llawer o gofrestri anghydffurfiol yn mynd yn ôl at gyfnod y Rhyfel Cartref a'r Weriniaeth (1642-60), yn rhannol am na ddaeth llawer o Biwritaniaid yn anghydffurfwyr hyd nes i'r drefn honno gael ei hadfer. Dylid nodi hefyd bod deddfwriaeth yn 1653 wedi cyflwyno cofrestru sifil yng Nghymru a Lloegr gan ddileu'r angen am gadw cofrestri o fewn y cynulleidfaoedd.[4]

Yr enwad cynharaf i gadw cofrestri rheolaidd oedd y Crynwyr. Gan nad oeddynt yn bedyddio a chan nad oedd ganddynt weinidogion i briodi a chladdu, fe gadwyd cofrestri o enedigaethau plant ac o gladdedigaethau eu haelodau. Cofnodid priodasau gan glerc y cyfarfod a llofnodid y dystysgrif briodas gan y rhan fwyaf o aelodau'r gynulleidfa, (gweler plât rhif 3 yn y gyfrol hon). Datblygodd eu dull hwy o gofrestru i fod yn un cywrain iawn, yn fwy felly na'r dull sifil o gofrestru, ac o ganlyniad fe dderbyniodd y Crynwyr driniaeth arbennig gan bob deddfwriaeth ynglŷn â chofrestru priodasau o 1653 hyd y dydd heddiw. Cadwyd nifer o gofnodion cyfarfodydd chwarter cynnar y Crynwyr yng Nghymru a'r Gororau, 1646-1838, yn yr Archifdy Gwladol yn Llundain, sef RG 6/631-709. Cydnabyddir Archifdy Morgannwg yng Nghaerdydd gan bencadlys y Crynwyr yn sefydliad cymwys ar gyfer derbyn cofysgrifau Cymreig yn ymwneud â'r Crynwyr. Cedwir hefyd lawer o gofnodion ynglŷn â chyfarfodydd y Crynwyr yn siroedd y Gororau yn Archifdy Henffordd.

Gan mai bedyddio oedolion oedd y drefn ymhlith y Bedyddwyr, fe gawn fod cofrestri capeli'r enwad hwnnw yn nodi genedigaethau plant i aelodau yn ogystal â rhestru'r oedolion hynny a gafodd eu bedyddio. Yn aml iawn fe fyddid yn cyfuno rhestr o'r rhai a gafodd eu bedyddio gyda rhestr o aelodau'r achos, ac y mae llawer o'r cofnodion cynharaf yn rhan o lyfr eglwys sy'n gallu cynnwys hanes sefydlu'r achos a chofnod o gyffes ffydd yr aelodau gwreiddiol. Ceir enghraifft dda o gyffes ffydd ar ddechrau cofrestr gynharaf y Bedyddwyr yn Rhydwilym, ar ffin siroedd Caerfyrddin a Phenfro, cyfrol sy'n rhychwantu'r cyfnod 1667-1823,[5] a cheir un arall ar ddechrau Llyfr Eglwys y Bedyddwyr yn Llangloffan, sir Benfro, cyfrol sy'n cofnodi bedyddiadau oedolion rhwng 1745 a 1787.[6] Enghraifft o gyfrol sy'n cynnwys crynodeb o hanes yr achos yw Llyfr Eglwys Blaen-y-waun, Llandudoch, sy'n cynnwys cofnodion rhwng 1794 a 1815.[7]

Hyd nes y gyrrwyd hwy allan o'r Eglwys Wladol yn 1662, yr oedd llawer o weinidogion anghydffurfiol wedi bod yn dal plwyfi ac yn defnyddio cofrestri plwyfol. Cadwodd rhai o'r gweinidogion hyn at yr arfer o gadw cofrestri ar ôl eu diswyddo. Pan ddaeth diwedd ar yr erlid ar anghydffurfwyr yn 1689, fodd bynnag, dirywiodd yr arfer o gadw cofrestri. Weithiau fe gadwyd cofnodion gan weinidog yn ei ddyddiadur personol yn hytrach nag mewn cofrestr ffurfiol, ond wedyn y mae'r cofnodion yn rhan o bapurau personol y gweinidog hwnnw yn hytrach nag yn rhan o archif y capel neu'r achos.[8] Ceir tystiolaeth hefyd fod cofnodion yn cael eu cadw mewn Beiblau teuluol a'u codi wedyn i gofrestri capeli.[9] Nid oedd galw cyfreithiol ar anghydffurfwyr i gadw cofrestri ac os nad oedd gweinyddiaeth ganolog gref gan yr enwad, yna digon ansefydlog ac ysbeidiol oedd y drefn o gadw cofnodion. Mae rhai yn cael eu cadw'n gydwybodol dan law un gweinidog ac yna'n dirywio'n gofnodion blêr, bylchog dan oruchwyliaeth olynydd llai cydwybodol.[10]

Y ddeddfwriaeth gyntaf i effeithio ar gofrestri anghydffurfiol oedd Deddf Priodasau Hardwicke 1753. Cyn y ddeddf hon gellid priodi trwy wneud addunedau o flaen tystion, a dyma sut y byddai'r Bedyddwyr, y Crynwyr ac anghydffurfwyr eraill yn medru priodi yn eu haddoldai eu hunain. Ond wedi deddf 1753 yr oedd yn orfodol i bawb briodi yn eglwys y plwyf, ac eithrio'r Crynwyr a'r Iddewon. Rhwng 1754 ac 1836 cofnodwyd pob priodas yng Nghymru, bron iawn, yn y cofrestri plwyf.

Yn hytrach na phrotestio yn erbyn effeithiau Deddf Priodasau Hardwicke, canolbwyntiodd yr anghydffurfwyr ar bwyso ar y Wladwriaeth i gydnabod eu cofrestri geni a bedyddio, fel bod modd defnyddio tystysgrif gweinidog anghydffurfiol yn yr un ffordd ag y defnyddir tystysgrifau geni heddiw. Yn 1783 pan gyflwynwyd treth stamp ar gofrestru tybiai llawer y deuai hyn â statws o'r diwedd i gofrestri anghydffurfiol, ond bu'n rhaid newid y ddeddf yn 1785 er mwyn cynnwys cofrestri anghydffurfiol.

Tua diwedd chwarter cyntaf y bedwaredd ganrif ar bymtheg daeth yn amlwg nad oedd gan dystysgrifau anghydffurfiol ddilysrwydd cyfartal â rhai Anglicanaidd. Cododd gwrthwynebiad o du'r Undodiaid i'r gwasanaeth priodasol Trindodaidd, a gwrthodai rhai o offeiriaid yr Eglwys Wladol gladdu plant Bedyddwyr yn eu mynwentydd. Cafwyd galw mawr am ddiwygio'r deddfau cofrestru. Gyda chynnydd yn nifer yr aelodau seneddol anghydffurfiol yn 1832, llwyddwyd i bwyso am nifer o adroddiadau a mesurau seneddol, a phen draw hynny oedd pasio dwy ddeddf ar 17 Awst 1836 yn sefydlu cyfundrefn gofrestru sifil ar gyfer genedigaethau, priodasau a marwolaethau yng Nghymru a Lloegr. Yn ogystal cafwyd caniatâd i gofrestru capeli anghydffurfiol ar gyfer cynnal priodasau ynddynt, cyhyd â bod cofrestrydd sifil yn bresennol yn y gwasanaeth priodasol. Diddymwyd y gwahaniaeth hwn rhwng y capeli a'r eglwysi i raddau helaeth gan Ddeddf Priodasau 1898 a ganiataodd benodi person awdurdodedig, y gweinidog fel arfer, i fod â gofal cofrestr priodasau y capel ac i weithredu fel cofrestrydd priodasau.

Ym mis Medi 1836 sefydlwyd comisiwn o ddeuddeg o ddynion, gan gynnwys o leiaf un anghydffurfiwr, i ymchwilio i gyflwr, gofal a dilysrwydd y cofrestri geni/ bedyddio, marwolaeth/claddu a phriodasau yng Nghymru a Lloegr, heblaw am gofrestri plwyf. Adnewyddwyd y comisiwn yn 1837 yn dilyn marwolaeth William IV, a dechreuodd y comisiynwyr ar eu gwaith trwy anfon cylchlythyr at yr holl gynulleidfaoedd anghydffurfiol yn gofyn am gael benthyg eu cofrestri ar gyfer profi eu dilysrwydd. Derbyniwyd a gwireddwyd 3,630 o gyfrolau ac awgrymwyd y dylid gosod y cofrestri hyn ar adnau gyda'r Cofrestrydd Cyffredinol.

Cafwyd ymateb cymysg gan y capeli i weithgarwch y comisiwn hwn. Gwrthodai rhai cynulleidfaoedd a feddai gofrestri eu trosglwyddo, tra yr oedd rhai achosion yn amlwg yn flin nad oedd ganddynt gofrestri i'w trosglwyddo. Yn wir, ceir tystiolaeth fod rhai cofrestri wedi eu creu'n frysiog ar y pryd gan ddefnyddio'r dystiolaeth fylchog a oedd ar gael.[11]

Cadwyd tystiolaeth fod rhai wedi profi anawsterau wrth geisio ymateb i gais y comisiynwyr. Gwrthododd y postman yng Nghemaes, sir Drefaldwyn, dderbyn cofrestri Samuel Roberts, Llanbryn-mair, a Hugh Morgan, Cemaes, a cheir llythyr yn apelio at y comisiynwyr am gyfarwyddyd pellach yn wyneb yr anhawster hwnnw, fel na fyddai'r gwrthodiad yn golygu bod eu cynulleidfaoedd yn colli'r manteision a gynigid gan y Comisiwn.[12] Mae Richard Owen, Llansanffraid-ym-Mechain, yn ymddiheuro bod eu gofrestri yn hwyr yn cyrraedd ac yn rhestru pump o resymau digon dilys dros fod yn hwyr yn eu hanfon, gan gynnwys y ffaith na chafodd gylchlythyr ynglŷn â'r trefniant yn y lle cyntaf.[13] Yr oedd Samuel Williams, gweinidog y Bedyddwyr yng Nghapel Juda, Dolgellau, ar y llaw arall, yn amharod i anfon ei gofrestr wreiddiol i Lundain. Cymraeg oedd iaith y gofrestr a chynhwysai nifer o eitemau eraill perthnasol i'r eglwys. Ei awgrym felly oedd y byddai swyddogion yr eglwys yn trefnu llunio adysgrif o'r gofrestr a chyfieithu ei chynnwys, ac yna y byddai'r gweinidog, yr ymddiriedolwyr a henuriaid yr eglwys yn llofnodi'r gyfrol a thystio i'w chywirdeb cyn ei gyrru i Lundain.[14]

Parhaodd y comisiynwyr i weithredu am flwyddyn ychwanegol er mwyn crynhoi'r cofrestri ynghyd a'u gosod ar adnau yn y Gofrestrfa Gyffredinol. Ymgorfforwyd argymhellion y comisiynwyr yn Neddf Cofrestri Anghydffurfiol 1840. Gellid archwilio'r cofrestri gan y cyhoedd o dalu swllt, byddai'r cofrestri i gyd, bron iawn, yn cael eu derbyn yn dystiolaeth ddilys mewn llys barn a gallai'r Cofrestrydd Cyffredinol gynhyrchu dyfyniadau ardystiedig ohonynt. Trwy hyn, yr oedd yr anghydffurfwyr wedi llwyddo i ennill popeth y buasent yn ymgyrchu drosto.

Cyflwynwyd rhestr o'r cofrestri a archwiliwyd yn atodiad i adroddiad y comisiynwyr wedi ei threfnu yn ôl enwadau ac yna yn nhrefn y siroedd, ond y mae hon yn rhestr wallus iawn. Wedi i'r cofrestri gyrraedd y Gofrestrfa Gyffredinol lluniwyd rhestr wedi ei threfnu yn ôl siroedd a phlwyfi yn nhrefn yr wyddor a'i chyhoeddi yn 1841. Er bod llawer o wallau'r rhestr wreiddiol wedi eu cywiro mae nifer o wendidau'n aros, yn enwedig gwallau darllen enwau lleoedd Cymraeg, trefnwyd rhai capeli dan y siroedd anghywir, ac fe hepgorwyd bron pob cyfeiriad at gofnodion priodasau. Y dyddiadau a nodwyd oedd y rheini ar dudalen cyntaf ac olaf pob cofrestr heb fod unrhyw sylw yn cael ei roi i weddill y gyfrol, hyd yn oed os nad yw'r cofnodion i gyd yn nhrefn amser, efallai oherwydd bod trefn y tudalennau wedi ei drysu.

O weld y manteision a ddaeth i ran y capeli hynny a oedd wedi cydymffurfio â'r comisiynwyr trwy anfon eu cofrestri i Lundain, dechreuodd y rhai nad oeddynt wedi gwneud hynny deimlo'n eiddigeddus. Aeth ugain mlynedd heibio cyn diwygio rhagor ar y deddfau ynglŷn â phriodas a chofrestru. Sefydlwyd comisiwn arall i ymchwilio i gyflwr, gofal a dilysrwydd cofrestri heblaw rhai plwyfol ar 1 Mehefin 1857. Casglodd y comisiwn hwn 292 o gofrestri o Gymru a Lloegr trwy hysbysebu a chylchlythyru, ac o'r cyfanswm hwnnw fe wrthodwyd saith ar hugain o gofrestri am eu bod yn rhai annilys neu anghywir. Derbyniwyd y 265 a oedd yn weddill i'w cadw yn y Gofrestrfa Gyffredinol at ddefnydd y cyhoedd yn yr un ffordd â'r rhai a gasglwyd o'r blaen. Llwyddwyd i'w disgrifio a'u rhestru'n llawer iawn cywirach na'r grŵp cynharaf a lluniwyd rhestr gyfansawdd o'r cofrestri i gyd gan y Cofrestrydd Cyffredinol yn 1859. Atgynhyrchwyd y rhestr hon ar ffurf ffacsimili gyda rhifau'r Archifdy Gwladol wedi eu hychwanegu mewn llawysgrifen yn 1969, sef cyfrol 42 yn y gyfres List & Index Society series.

Cadwyd y cofrestri anghydffurfiol hyn yn Somerset House hyd tua 1960, ond ychydig a wyddai am eu bodolaeth ac ychydig iawn o ddefnydd a fu arnynt. Daeth tro ar fyd pan anfonwyd hwy i'w cadw yn yr Archifdy Gwladol, yn rhan o archifau'r Cofrestrydd Cyffredinol. Gwnaed ymgais yn ddiweddar i ailgatalogio'r cofrestri hyn gan aelod o staff yr Archifdy Gwladol er mwyn ceisio dileu'r gwallau a oedd yn aros yn rhestr 1859. Cedwir copïau microffilm o'r holl gofrestri RG 4, RG 6 ac RG 8 sy'n ymwneud â Chymru yn y Llyfrgell Genedlaethol a cheir ffilmiau o'r cofrestri perthnasol yn yr archifdai sirol yn ogystal, ac eithrio Powys.

Er 1837 ychydig iawn o angen cyfreithiol a fu i gapeli gadw cofrestri o unrhyw fath gan mai gwaith i'r awdurdodau sifil yw cofrestru bellach. Yr oedd rhai capeli yn parhau i gadw cofnodion o ran arfer yn fwy na dim, er bod cofrestri o gymunwyr neu aelodau yn parhau'n bwysig. O safbwynt yr iaith Gymraeg, gwelwyd defnydd o'r iaith yn lledu yng nghofrestri rhan olaf y bedwaredd ganrif ar bymtheg a rhai'r ugeinfed ganrif. Yn wir, mae rhywun yn synhwyro y byddai nifer llawer iawn uwch o'r cofrestri sydd bellach yn yr Archifdy Gwladol wedi eu cadw yn Gymraeg onibai am deimlad bod angen i'r cofnodion fod yn ddealladwy ar gyfer dibenion cofrestru. Nodwedd amlwg ar gofrestri'r ychydig gapeli a oedd yn defnyddio'r Gymraeg cyn 1837, er enghraifft Bethesda'r Fro (A) ym Morgannwg a Rhos-meirch (A) ym Môn, yw eu bod yn nodi'r bedyddiadau yn Saesneg a'r claddedigaethau yn Gymraeg, a hynny oherwydd bod y cofnodion geni/bedyddio yn bwysicach at ddibenion cyfreithiol a swyddogol, mae'n debyg.[15]

O ran diogelu'r cofrestri a chofysgrifau anghydffurfiol eraill yng Nghymru, gwelwyd sefydlu Cymdeithas Hanes y Bedyddwyr yn 1901 ac yna yn 1919 dechreuodd y Methodistiaid Calfinaidd gasglu ffynonellau yn ymwneud â hanes y Cyfundeb. Ffrwyth y gweithgarwch hwnnw oedd penderfyniad y Gymanfa Gyffredinol i gyflwyno Archifau'r Methodistaid Calfinaidd ar adnau i'r Llyfrgell Genedlaethol yn 1934 ac y mae'r trefniant hwn yn dal hyd heddiw. Methiant fu pob ymgais i gael yr Annibynwyr a'r Bedyddwyr yng Nghymru i gasglu cofysgrifau ynghyd yn ganolog. Pan luniwyd holiadur gan y Llyfrgell Genedlaethol yn 1935-6 yn holi am fodolaeth cofysgrifau eglwysi lleol, dychwelwyd 113 o atebion gan eglwysi Annibynnol a 132 gan eglwysi'r Bedyddwyr, hyn o'i gymharu ag ymateb a oedd ymron i gant y cant gan eglwysi plwyf. Dangosodd yr atebion mai ychydig iawn o gapeli a feddai gofrestri a oedd yn hŷn na'r bedwaredd ganrif ar bymtheg a gwelwyd hefyd fod nifer o gyfrolau yn dal ym meddiant teuluoedd cyn-swyddogion yr eglwysi, yn hytrach na bod ym meddiant yr eglwysi eu hunain.[16]

Nodweddion y cofrestri

Nodwyd eisoes bod diffyg patrwm sefydlog yn nodweddu cofrestri anghydffurfiol, a chrybwyllwyd hefyd sut y cyflwynwyd unffurfiaeth i gofrestri bedyddio a chladdu'r Eglwys Wladol yn 1754 ac yn 1813 gyda dyfodiad cofrestri ar ddull ffurflenni printiedig wedi eu rhwymo'n gyfrolau. Yn ddiddorol iawn, fe ddefnyddiwyd y cofrestri Anglicanaidd hyn gan nifer o gapeli Wesleaidd a rhai capeli Annibynnol ar gyfer eu cofnodion eu hunain. Cyfrifwyd o leiaf bump ar hugain o gapeli yng Nghymru a oedd wedi defnyddio cofrestri Anglicanaidd ymhlith casgliad yr Archifdy Gwladol o gofrestri anghydffurfiol. Mae mwyafrif o'r gweinidogion a oedd yn defnyddio cofrestri o'r math hwn yn parchu'r colofnau gan gofnodi'r wybodaeth berthnasol yn y lleoedd priodol, tra bod eraill yn ysgrifennu ar draws y ddalen gan anwybyddu'r colofnau.[17] Yn achos cofrestr bedyddiadau cylchdaith Wesleaidd Biwmares, 1812-37, dilewyd y gair *'Parish'* ar y wyneb-ddalen a defnyddio *'Circuit'* yn ei le.[18] Trefnodd rhai capeli Wesleaidd i argraffu eu cofrestri eu hunain ar ddull y cofrestri Anglicanaidd,[19] tra bod eraill wedi pwrcasu cyfrolau ar ddull ffurflenni nad ydynt yn dilyn patrwm cofrestri Anglicanaidd.[20] Yn achos un gylchdaith, Pwllheli, cadwyd deunaw o dystysgrifau bedyddio bychan, hirsgwar ar ddechrau'r gofrestr fedyddiadau.[21]

Tra'n sôn am gofrestri Wesleaidd, fe ddylid crybwyll mai cofrestri ar gyfer cylchdaith o gapeli yw llawer ohonynt, yn hytrach na chofrestr ar gyfer un capel yn unig. Ceir enghraifft dda wedi ei chanoli ar gapel Peniel, Llandysul, sydd yn gofrestr hefyd ar gyfer ardal eang o dde Ceredigion a rhannau gogleddol siroedd Caerfyrddin a Phenfro.[22] Nid yw hi bob amser yn bosibl dweud pa gapeli a gynrychiolir gan gofrestr cylchdaith ac weithiau bodlonir ar gynnig yr un dyddiadau ar gyfer nifer o gapeli o fewn y gylchdaith, er nad yw'r holl gofnodion yn berthnasol i bob capel dros y cyfnod cyfan. Gosodir y symbol • wrth gofnodion sy'n cyfeirio at gofrestri cylchdaith. Ym Môn hefyd ceir cofrestr bedyddiadau Wesleaidd dros yr ynys gyfan am y cyfnod 1837-67 ond ni chynhwyswyd cyfeiriadau ati isod o dan enwau capeli unigol. Cedwir rhai cofrestri cylchdaith Wesleaidd sy'n cynnwys cofnodion am gapeli yng Nghymru mewn archifdai sirol yn Lloegr, e.e. rhai'n cyfeirio at sir Drefaldwyn yn Amwythig, rhai'n cyfeirio at Faesyfed yn Henffordd, a rhai'n cyfeirio at sir Fynwy yng Nghaerloyw. Cynhwysir cyfeiriadau at y rhain yng nghorff y gyfrol hon.

Yn achos cofrestri'r Methodistiaid Calfinaidd, mae'n amlwg bod awdurdodau'r Cyfundeb wedi trefnu copïo'r cofrestri cyn eu hanfon i Lundain. Cyfrolau cyfansawdd yw llawer o gofrestri'r Cyfundeb sydd ar gadw yn yr Archifdy Gwladol, gyda nifer o gapeli yn cael eu cynrychioli ynghyd yn yr un gyfrol. Mae'r cyfrolau cyfansawdd hyn yn cynnwys cofrestri capeli dros ardal eang. Ceir un o Geredigion, er enghraifft, sy'n cynnwys cofrestri pymtheg o gapeli, yn cynrychioli triongl llydan o Langynfelyn yn y gogledd i Ledrod yn y de ac i Gwmystwyth yn y dwyrain.[23] Ceir cyfrol debyg o Frycheiniog sy'n cynnwys tri ar ddeg o gapeli, o Lanfair-ym-Muallt yn y gogledd drwy Aberhonddu i Grucywel yn y de-ddwyrain, heb anghofio Llywel, Defynnog a Llanwrtyd yn y gorllewin. [24] Yn ychwanegol at hyn cadwyd cofrestr sirol mewn rhai ardaloedd, cofrestr yr ymddengys ei bod yn cynnwys copi cain o gofnodion o gofrestri nifer helaeth o gapeli Methodistaidd yr ardal. Yn Archifdy Llangefni, er enghraifft, fe gedwir cyfrol y copïwyd ynddi gofnodion bedyddio y rhan fwyaf o gapeli'r Methodistiaid Calfinaidd ym Môn a chedwir cyfrolau tebyg ar gyfer sir Gaernarfon a sir Drefaldwyn a chyfrol am sir y Fflint, Caer ac ardal Wrecsam yn y Llyfrgell Genedlaethol.[25] Nodir y symbol + wrth gofnodion o'r cofrestri cyfansawdd hyn ac weithiau cynhwysir cofnodion bedyddio ynddynt sy'n perthyn i ambell gynulleidfa o Annibynwyr yn ogystal. Ceir nodyn yng nghofrestr ambell i gapel sy'n dangos mai ar orchymyn ysgrifennydd y cyfarfod misol y copïwyd y cofnodion, er enghraifft ceir y sylw canlynol yng nghofrestr Capel y Graig, Penrhosgarnedd: "Cyfodwyd yr holl enwau hyd yma ir llyfr Perthynol ir Sir trwy Orchymyn y Cyfarfod Misol..."[26] Lle bu modd cymharu'r gofrestr a aeth i Lundain gyda'r adysgrifau a gadwyd yng Nghymru, sylwyd bod gwahaniaethau sylweddol yn gallu digwydd o ran y cynnwys, gyda rhai cofnodion yn cael eu hepgor a gwahaniaethau yn y ffordd y cofnodir cyfenwau.

Er bod nifer o'r cofrestri a ddefnyddid yn y bedwaredd ganrif ar bymtheg wedi eu hargraffu yn Llundain, argreffid rhai yn Lerpwl[27] ac eraill yn lleol yng Nghymru.[28]

Ymhlith yr amlycaf o'r gweisg yng Nghymru am gynhyrchu cofrestri capeli yr oedd swyddfa *Seren Gomer* yn Abertawe dan reolaeth Joseph Harris a'i olynydd, J. A. Williams. Mae'n ddigon naturiol mai capeli'r Bedyddwyr a archebai gofrestri *Seren Gomer* gan mwyaf a cheir capeli cyn belled â Llanidloes a Phen-y-cae, Rhiwabon yn eu defnyddio;[29] ceir hefyd ambell enghraifft o gapel Annibynnol lleol yn eu defnyddio.[30] Byddai nifer o'r cofrestri hyn wedi eu cynhyrchu ar gyfer capel arbennig a cheir enw'r capel ar yr wyneb-ddalen ac weithiau ar ffurf pennawd ar frig pob tudalen.[31]

Nodwedd arall o rai cofrestri o ddechrau'r bedwaredd ganrif ar bymtheg yw nodyn ar yr wyneb-ddalen yn dweud: *"vide Evangelical Magazine, May 1815"*. Mae'r nodyn hwn yn cyfeirio at lythyr gan John Wilks, Finsbury, Llundain, a gyhoeddwyd yn rhifyn Mai 1815 o'r *Evangelical Magazine* (tt. 202-3) yn ateb llythyr gan un yn defnyddio'r ffugenw 'Honestus', Newbury, yn rhifyn Ionawr o'r un cylchgrawn (tt. 11-12). Cwyno yr oedd 'Honestus' am ddiffygion y cofrestri anghydffurfiol fel tystiolaeth gyfreithiol ac yn ei ateb ceir gan John Wilks batrwm o sut y dylid geirio cofnod mewn cofrestr bedyddiadau, a dengys pa wybodaeth y dylid ei chynnwys fel bod modd dod dros y diffygion a nodai 'Honestus' yn ei lythyr gwreiddiol.[32]

Trefn y gyfrol

Mae testun y gyfrol hon fel ei chymhares, *Cofrestri Plwyf Cymru,* wedi ei drefnu yn ôl hen siroedd Cymru fel yr oeddent cyn eu diddymu gan y mesur ad-drefniant llywodraeth leol yn 1974. O fewn i'r strwythur hwnnw, fe ddilynir y drefn a fabwysiadwyd wrth lunio mynegai 'Capeli Cymru', sef dilyn y gyfrol *Royal Commission on the Church of England and other Religious Bodies in Wales and Monmouthshire. Volume VI. Appendices to Minutes of Evidence. Nonconformist County Statistics.* (London, 1911). Yn y gyfrol hon mae'r capeli wedi'u trefnu yn ôl plwyfi sifil neu ddosbarth trefol neu ddinesig. Casglwyd yr wybodaeth hon yn 1905 ac felly y mae'n rhagori llawer ar yr wybodaeth a gynhwyswyd yng Nghyfrifiad Crefyddol 1851.

Trefnir y cofnodion yn ôl yr wyddor o dan yr hen siroedd. Defnyddir y ffurfiau Cymraeg gan ddilyn sillafiad Elwyn Davies, *Rhestr o Enwau Lleoedd* (Caerdydd, 1967). Os oes enw Saesneg cyfatebol neu fersiwn Saesneg o'r enw, fe'i rhoddir ochr yn ochr â'r enw Cymraeg gyda llinell letraws rhyngddynt. Lle bo gwahaniaeth mawr rhwng y ddau enw, ceir ail gofnod o dan yr enw Saesneg, a dynodir mai ail gofnod ydyw trwy roi seren o flaen yr enw.

Dilynir enw'r lle weithiau gan gyfeiriad pellach, enw pentref neu ardal o fewn y plwyf sifil sydd yn fwy cyfarwydd i ni heddiw. Cynhwysir yr holl enwau hyn, yn blwyfi sifil, yn enwau pentrefi ac yn ardaloedd, yn y mynegai ar ddiwedd y gyfrol. Yn dilyn hynny cofnodir enw'r capel, weithiau'n enw Beiblaidd, dro arall yn enw sy'n ymgorffori enw'r stryd os yw'r capel mewn tref, neu enw fferm neu ardal mewn cyddestun gwledig. Pan fo enw capel wedi newid dros y blynyddoedd, weithiau drwy fabwysiadu ffurf Gymraeg ar yr enw, fe ddangosir y ddwy ffurf gyda llinell letraws yn eu gwahanu. Yna, ar ochr dde'r ddalen ar ddiwedd y llinell gyntaf, ceir byrfodd sy'n dynodi enwad y capel. Ceir rhestr o'r byrfoddau hyn gyda'u hystyron ar ddiwedd y rhagymadrodd. Neilltuir yr ail linell ymhob cofnod ar gyfer cyfeiriad grid cenedlaethol yr O.S. Ceir esboniad hylaw ar sut i ddefnyddio'r cyfeiriadau hyn yn y rhagymadrodd i gyfrol Elwyn Davies, *Rhestr o Enwau Lleoedd* (Caerdydd, 1967), tt. xv-xx. Os oes angen symleiddio'r rhifau wyth ffigur i rifau pedwar ffigur, gellir gwneud hynny drwy ddefnyddio y rhif cyntaf a'r ail yn y gyfres ac yna'r pumed rhif a'r chweched, gan anwybyddu'r rhifau eraill.

Mae llinell olaf y cofnod yn nodi pa fathau o gofrestri sydd ar gadw. Defnyddir y byrfodd C i ddynodi genedigaethau neu fedyddiadau, M ar gyfer priodasau, a B ar gyfer marwolaethau neu gladdedigaethau. Yn dilyn y byrfoddau hyn nodir y flwyddyn gynharaf a'r flwyddyn olaf y ceir cofnodion amdanynt yng nghofrestri'r categori arbennig hwnnw, ac yna, yn dilyn y dyddiadau, ceir byrfodd mewn print trwm sy'n nodi ym mha archifdy y cedwir y cofnodion. Dylid nodi nad yw pob un o'r cofrestri a restrir yn rhai gwreiddiol. Y mae nifer ohonynt yn adysgrifau o'r gwreiddiol a rhai yn ffotocopïau.

Nodiadau
1   Mae'r gronfa ddata 'Capeli Cymru' ar gael i'w defnyddio yn Adran Llawysgrifau a Chofysgrifau'r Llyfrgell Genedlaethol; cedwir cronfa ddata sy'n rhestru capeli o'r safbwynt pensaernïol yn swyddfa'r Comisiwn Brenhinol Henebion yng Nghymru, Plas Crug, Aberystwyth; ac y mae gan Archifdy Clwyd gronfa ddata o dros wyth gant o gapeli yn seiliedig ar wybodaeth a gasglwyd gan Brosiect Capeli Clwyd. Yn ogystal, y mae Cymdeithas Hanes Teuluoedd Clwyd wedi paratoi mynegai o'r enwau personol sy'n digwydd yng nghofrestri anghydffurfiol Dinbych a Fflint sydd ar gadw yn yr Archifdy Gwladol yn Llundain, ac y mae'r mynegai hwnnw ar gael yn Archifdy Clwyd.
2   Mae hyn yn golygu bod y gyfrol yn cynnwys manylion am bob cofrestr cyn 1837, fwy neu lai, gyda'r mwyafrif ohonynt yn yr Archifdy Gwladol, ond ar ôl 1837, dim ond y capeli sydd wedi cyflwyno eu cofrestri i ofal sefydliadau cyhoeddus a gynhwysir. Os dymunir cael gwybodaeth trwy gysylltu ag ysgrifenyddion capeli sy'n dal eu gafael ar gofrestri, yna gellir cael eu cyfeiriadau o'r blwyddlyfrau enwadol perthnasol sydd ar gael yn y mwyafrif o lyfrgelloedd ac archifdai lleol.
3   Michael Gandy, *Catholic Missions and Registers 1700-1880, volume 3 Wales and the West of England* (London, 1993).
4   Cadwyd o leiaf ddwy enghraifft Gymreig o gofrestri sifil o gyfnod y Weriniaeth a'r ddwy yn deillio o sir Benfro, sef llawysgrif Caerdydd 4.44 yn Llyfrgell Dinas Caerdydd, dyddiedig 1654-8, sy'n cyfeirio at blwyfi Casnewydd-bach, Cas-mael, Cas-fuwch,

Morfil, Llanychaer a Llanfihangel Nant-y-gof, a'r llall yn rhan o gofrestr gynharaf plwyf Llanhuadain sydd ar gadw yn y Llyfrgell Genedlaethol, dyddiedig 1653-9, yn cynnwys cofnodion o blwyfi Llanhuadain, Cas-wis a Threfelen.

5 LlGC Mân Adnau 127A. Am lun o gofnod priodas yng nghofrestr Rhydwilym, gweler plât rhif 2 yn y gyfrol hon.

6 LlGC Mân Adnau 412A.

7 LlGC Mân Adnau 505B. Meddai David Jones, Caerfyrddin, yn ei gyfrol *Hanes y Bedyddwyr yn Neheubarth Cymru* (Caerfyrddin, 1839), tt. 253-4, am y llyfr eglwys hwn: '...efe yw yr un goreu o lawer yn Neheubarth Cymru, canys cynnwysa holl amgylchiadau pwysig yr eglwys oddiar dechreuad pregethu yma hyd y flwyddyn bresennol, wedi eu gosod i lawr yn y modd mwyaf trefnus, a'u hysgrifenu yn y dull mwyaf prydferth. Byddai yn werth i eglwysi Cymru i ddanfon eu gweinidogion neu eu diaconiaid i Landudoch...i edrych ar drefn y llyfr hardd a rhagorol hwn, er mwyn gwneuthur ei debyg...'

8 Cyfeirir at yr arfer o godi cofnodion o ddyddiadur personol a'u trosglwyddo i gofrestri swyddogol gan S. Griffiths, gweinidog Horeb (A), Llandysul, yn 1837, gweler PRO: RG 4/1684, ff. 56v-7, a chan Cadwaladr Jones yn un o gofrestri Hen Gapel (A), Dolgellau, gweler RG 4/3899: *"This book contains 947 names entered see 104th page; they were generally entered into this from small diaries into which I generally enter them by a lead pencil when the children are baptized - Yours &c. Cadr. Jones, Minister."*

9 Ceir tystiolaeth o rai yn codi cofnodion o Feiblau teuluol yn llythyr Jenkin Davies, Salem (MC), Troed-yr-aur, Ceredigion, RG 4/2515: *"The last seven Baptisms in the Register of Salem were taken from family Bibles on which they were written at first because Salem had no Register at that time, and when the said names were entered on the Register the parents of these Children testified that all the particulars in the account of the said Baptisms were <u>Correct.</u> Your Obt. Servt. Jenkin Davies."* Ceir dau gofnod tebyg yng nghofrestr Capel y Pandy (MC), Llanuwchllyn, gweler RG 4/4121. Copïwyd y cofnodion o Feiblau teuluol yng ngŵydd y rhieni.

10 Mae Daniel Thomas, gweinidog Penrhiwgaled (A), Synod Inn, yn cyfaddef, er enghraifft, nad oedd yn sylweddoli bod angen nodi genedigaethau yn ei gofrestr bedyddiadau, gweler RG 4/3805. Yng nghofrestr capel Ardd-las (MC), Trawsfynydd, ceir chwe llinell wag ac yna nodyn: *"The six persons who ought to be registered in these lines were Baptized before we had the Register and so they were neglected."* gweler RG 4/3473.

11 Enghraifft o gofrestr wedi ei chreu ar gyfer y comisiynwyr, yn ôl pob golwg, yw un Siloam (A), Llanelli, Brycheiniog, 1829-35, gweler RG 4/4441, a dyna hefyd yw hanes cofrestr genedigaethau Capel y Bedyddwyr Saesneg, Abersychan, 1830-7, lle ceir pedwar plentyn James Dowton, labrwr, a Martha, ei wraig, wedi eu geni yn 1827, 1830, 1832 ac 1833, ond wedi eu cofnodi ynghyd gan Stephen Price, y gweinidog, ar 9 Chwefror 1837, gweler RG 4/2463.

12 RG 4/4068.

13 RG 4/3452. Mae John Davies, gweinidog Glan-dŵr (A), Llanfyrnach, sir Benfro, hefyd yn achwyn nad oedd llawer o weinidogion yr Annibynwyr wedi derbyn cais oddi wrth y comisiynwyr am eu cofrestri, gweler RG 4/3915.

14 RG 4/3898. Un arall amharod i weld colli ei gofrestr oedd J. W. Griffiths, gweinidog yr Annibynwyr yn ardal Tyddewi. Wrth ysgrifennu at y comisiynwyr ynglŷn â chofrestr capeli Rhodiad ac Ebenezer ar 3 Ebrill 1837, dywed: *"I am not quite willing that it should remain there for the following reasons, - I am frequently applied to by Parents for the age of their children on different occasions, which I shall not be able to furnish them with, - at least without considerable expense, - if I part entirely with the Book. Besides, it cost*

me *14/- and I want it for the insertion of the Church members names, the time of their admission, and other occasions in the Church.*", gweler RG 4/4071.

15 Gweler cofrestr Bethesda'r Fro, RG 4/1691, a chofrestr Rhos-meirch, RG 4/2902.

16 E. D. Jones, 'Nonconformist Records in Wales', *Archives*, cyfrol V, rhif 25 (1961), t. 9.

17 Dau gapel sydd wedi cadw eu cofrestri yn yr ail ddull a nodwyd yw Salem (A), Porthmadog, RG 4/4028, a chapel Chester Road (W), Treffynnon, RG 4/4083.

18 RG 4/4002

19 Ceir enghraifft dda yng nghofrestr bedyddiadau'r Wesleaid, Doc Penfro, 1839-57, cyfrol a argraffwyd gan John Mason, 14 City Road, Llundain, RG 4/3917, ac un arall ar gyfer yr un capel am y cyfnod 1847-58, RG 4/3918.

20 Am enghraifft nodweddiadol, gweler cofrestr cylchdaith Llanfair Caereinion, RG 4/3959.

21 RG 4/3486.

22 RG 4/4009.

23 RG 4/4013.

24 RG 4/4112.

25 Cyfeiriad cyfrol Môn, 1792-1845, yw GASL: WM 627, gweler plât rhif 12 yn y gyfrol hon; cyfeiriad cyfrol sir y Fflint, Caer ac ardal Wrecsam, 1805-36, yw LlGC: CMA 13148; cyfeiriad cyfrol sir Drefaldwyn, 1807-37, yw LlGC: CMA 27502; a chyfeiriad sir Gaernarfon, 1809-37, yw LlGC: CMA Bala College Safe (1934) III, 3.

26 RG 4/3873. Ceir nodyn tebyg yng nghofrestr Betws-yn-Rhos, RG 4/3872.

27 Defnyddiwyd un o'r cofrestri a argraffwyd ar gyfer y Methodistiaid Calfinaidd gan H. Forshaw, Edmund Street, Lerpwl, gan yr Annibynwyr yn Llechylched, Môn, RG 4/3788.

28 Ymhlith yr argraffwyr yng Nghymru gellid nodi Enoch Jones, Llannerch-y-medd, RG 4/3793; John Jones, Llanrwst, RG 4/3949; ac E. Williams, Stryd y Bont, Aberystwyth, RG 4/3813.

29 Llanidloes (Bed.), RG 4/3958, gweler plât rhif 8 yn y gyfrol hon; Pen-y-cae (Bed.), Rhiwabon, RG 4/3490.

30 Dau gapel Annibynnol lleol a ddefnyddiai gofrestri *Seren Gomer* oedd Pant-teg, RG 4/3495, a Mynydd-bach, RG 4/3497.

31 Y mae cofrestri Bethania (A), Pennant, sir Drefaldwyn, RG 4/4100, ac Ebeneser (Bed.), Llangynog, sir Gaerfyrddin, RG 4/3944, yn enghreifftiau o gofrestri a argraffwyd yn arbennig ar gyfer y capeli hynny.

32 Argraffwyd dyfyniad maith o'r *Evangelical Magazine* yn un o gofrestri Capel Als (A), Llanelli, sir Gaerfyrddin, RG 4/4060, a cheir nodyn tebyg yng nghofrestr Henryd (A), sir Gaernarfon, RG 4/4089. Sylwyd ar gyfeiriadau at yr *Evangelical Magazine* hefyd yng nghofrestri Hawen a Bryngwenith (A), Ceredigion, RG 4/3053, Cwrtycadno (MC), sir Gaerfyrddin, RG 4/4014, a'r Tabernacl (A), Caergybi, RG 4/4088.

BYRFODDAU

A	Annibynwyr
B	claddedigaethau/marwolaethau
Bap.	Bedyddwyr
BC	*Bible Christian*
Bed.	Bedyddwyr
C	bedyddiadau/genedigaethau
CM	Methodistiaid Calfinaidd
Cong.	Annibynwyr
EP	Presbyteriaid Saesneg
FM	*United Free Methodist*
LlGC	Llyfrgell Genedlaethol Cymru
M	priodasau
M	Mormoniaid
MC	Methodistiaid Calfinaidd
MF	*Methodist Free Church*
MN	*Methodist New Connexion*
MR	Morafiaid
PM	*Primitive Methodist*
Q	Crynwyr
SB	Bedyddwyr Albanaidd
U	Undodiaid
UR	*United Reformed*
W	Methodistiaid Wesleaidd
+	Cofrestr bedyddiadau gyfansawdd yn perthyn i'r Methodistiaid Calfinaidd ond yn cynnwys rhai cyfeiriadau at Annibynwyr.
•	Cofrestr cylchdaith Wesleaidd.

xxiii

YR ARCHIFDAI

CARM RO   Gwasanaeth Archifau Dyfed, Archifdy Sir Gaerfyrddin, Neuadd y Sir, Caerfyrddin, Dyfed, SA31 1JP. Tel: 0267 233333 est. 4182.

CER RO   Gwasanaeth Archifau Dyfed, Archifdy Ceredigion, Swyddfa'r Sir, Aberystwyth, Dyfed, SY23 2DE. Tel: 0970 617581 est. 2120.

CROH   Archifdy Clwyd, Yr Hen Reithordy, Penarlâg, Glannau Dyfrdwy, Clwyd, CH5 3NR. Tel: 0244 532364.

CROR   Archifdy Clwyd, 46 Heol Clwyd, Rhuthun, Clwyd, LL15 1HP. Tel: 0824 703077.

GASC   Gwasanaeth Archifau Gwynedd, Archifdy Caernarfon, Doc Fictoria, Caernarfon, Gwynedd (llythyrau i'w cyfeirio at: Swyddfa'r Sir, Stryd y Jêl, Caernarfon, Gwynedd, LL55 1SH). Tel: 0286 679095.

GASD   Gwasanaeth Archifau Gwynedd, Archifdy Dolgellau, Cae Penarlâg, Dolgellau, Gwynedd, LL40 2YB. Tel: 0341 422341 est. 3300/3302.

GASL   Gwasanaeth Archifau Gwynedd, Archifdy Llangefni, Neuadd y Sir, Llangefni, Gwynedd, LL77 7TW. Tel: 0248 750262 est. 269.

GLAM RO   Gwasanaeth Archifau Morgannwg, Neuadd y Sir, Parc Cathays, Caerdydd, CF1 3NE. Tel: 0222 820820.

GRO   Gloucestershire County Record Office, Clarence Row, Alvin Street, Gloucester, GL1 3DW. Tel: 0452 425295.

GWENT RO   Archifdy Sirol Gwent, Neuadd y Sir, Cwmbrân, Gwent, NP44 2XH. Tel: 0633 838838.

HRO   Hereford Record Office, The Old Barracks, Harold Street, Hereford, HR1 2QX. Tel: 0432 265441.

MTL   Llyfrgell Ganol Merthyr Tudful, Stryd Fawr, Merthyr Tudful, Morgannwg Ganol, CF47 8AF. Tel: 0685 723057.

NLW   Llyfrgell Genedlaethol Cymru, Aberystwyth, Dyfed, SY23 3BU. Tel: 0970 623816 est. 323.

PEMB RO   Gwasanaeth Archifau Dyfed, Archifdy Sir Benfro, Y Castell, Hwlffordd, Dyfed, SA61 2EF. Tel: 0437 763707.

PRO   Public Record Office, Chancery Lane, London WC2A 1LR. Tel: 081-876-3444.

PSRO   Archifdy Sir Powys, Neuadd y Sir, Llandrindod, Powys, LD1 5LG. Tel: 0597 826087.

SRO   Shropshire Record Office, The Shirehall, Abbey Foregate, Shrewsbury, SY2 6ND. Tel: 0743 252852.

UWB   Adran y Llawysgrifau, Llyfrgell y Coleg, Prifysgol Cymru, Bangor, Gwynedd, LL57 2DG. Tel: 0248 351151.

W GLAM RO   Archifdy Gorllewin Morgannwg, Neuadd y Sir, Abertawe, SA1 3SN. Tel: 0792 471589.

INTRODUCTION

This volume is intended as a companion volume to *Parish Registers of Wales,* compiled by C. J. Williams and J. Watts-Williams and published in 1986 by the National Library of Wales and the Welsh County Archivists' Group in association with the Society of Genealogists.

Although both volumes present us with lists of registers, there is a fundamental difference between the parish registers listed in the 1986 volume and the nonconformist registers listed here. Parish registers were official records of the Established Church, records which were first ordered to be kept by Thomas Cromwell in 1538. The registers of one Welsh parish, Gwaunysgor, Flintshire, contain entries which go back to that year. The earliest Welsh nonconformist register, the church book of the Baptists of Ilston in Gower, dates from the year 1649, more than a century later. In contrast to parish registers, which have been kept according to a uniform pattern established by the civil authorities, on printed forms bound into volumes, in the case of marriages since 1754 and in the case of christenings and burials since 1813, nonconformist registers were kept in a very haphazard fashion, without guidance from the denominational authorities concerning what information to include and the form of the entries, with the possible exception of the two Methodist denominations. In the same way, no pressure was applied nor much advice furnished by the denominations concerning the deposit of nonconformist registers in public repositories. The Church in Wales, on the other hand, has encouraged the parishes to safeguard their original registers at the National Library since 1950. In 1976 the county record offices were also authorized to accept parish registers and parochial records. Depositing nonconformist registers in public repositories has been a voluntary act, and consequently only a small percentage of Welsh chapels have safeguarded their registers in this way.

Another fundamental difference between the two types of register is that parish registers refer to people who lived within defined geographical parishes, while some nonconformist registers contain the names of people from a very wide area. In the case of nonconformists, therefore, one often has to take account of the history of an individual 'cause' when searching for one's forbears, rather than simply focusing on a geographical area. Good examples of registers which list members over a wide area attending a church include the baptismal register of Ebenezer Congregational Chapel, Dinas Mawddwy, 1797-1837, the parent church of several off-shoot branches (PRO: RG 4/4033), and the birth registers of Seion Baptist Chapel, Nefyn, 1787-1851, (GASC XM 6254/1-2), which contain references to children born to members over a very wide area, including Pistyll, Boduan, Aber-erch, Llannor, Bryncroes,

Tudweiliog, Aberdaron, and even Llanllyfni. Many early christenings took place in the parents' home, before many of the chapels were built, and this fact is often noted in the register.

During the 1980s an index was compiled by Mrs Beryl Hughes Griffiths of Llanuwchllyn, on behalf of the National Library, which was intended to be a comprehensive record of all the nonconformist causes which have ever existed in Wales, noting the present location of the archives of those chapels, where the information was available. Over five and a half thousand chapels were listed on the database 'Capeli Cymru', but of these only 1,350 had transferred their registers to a public repository.[1]

The aim of this volume is to provide a list of these registers which have been deposited in public repositories, indicating whether they include entries for baptisms, marriages or burials.[2] Some of the registers also include entries for births and deaths. Apart from listing registers, details of some other types of nonconformist records which provide exact dates have also been included, e.g. stubs of baptismal and marriage certificates and 'Cradle Rolls', which are lists of the children of a congregation not yet accepted into membership. Printed sources such as chapel annual reports have not been included, and it should be borne in mind that such sources can contain information which is of interest to genealogists. The denomination of the chapel is noted and the location of the registers is shown by an abbreviation representing the name of the repository. With the kind co-operation of the Royal Commission on Ancient Monuments in Wales, the location of each chapel has been plotted on the O.S. grid, by means of an eight-figure reference which facilitates the exact identification of each place of worship. Apart from listing the registers of the main Welsh denominations, namely the Baptists, the Calvinistic Methodists (Presbyterians), the Congregationalists and the Wesleyan Methodists, the index also includes references to smaller denominations such as the Quakers, the Unitarians and the Countess of Huntingdon's Connexion. References to Catholic registers are not included as details have recently appeared in a volume compiled by Michael Gandy.[3] Suffice it to note here that the earliest Welsh Catholic register, from Holywell in Flintshire, begins in the year 1698.

The history of nonconformist registers
An authoritative guide to the history of nonconformist registers is to be found in the article by Dr Edwin Welch which appeared in *Journal of the Society of Archivists*, volume II, no. 9 (April 1964), pp. 411-17. This article was republished by D. J. Steel in *Sources for Nonconformist Genealogy and Family History* (Chichester, 1973), pp. 507-18. Dr Welch shows that the few nonconformist congregations before the Civil

War did not keep registers, mainly because of the fear of persecution. Persecution ended with the collapse of episcopal authority but not many nonconformist registers go back to the period of the Civil War and Commonwealth (1642-60), partly because many Puritans did not become nonconformists until the restoration of that authority. It should also be noted that legislation in 1653 introduced civil registration in England and Wales, thus doing away with the need for congregations to keep registers.[4]

The earliest denomination to keep regular registers was the Society of Friends or Quakers. As they did not practise baptism and did not have ministers to solemnize marriages and burials, they kept registers of the birth of children and of the burial of members. Marriages were registered by the clerk of the meeting and the marriage certificate would be signed by a majority of those present (see plate number 3 in this volume). Quaker registration developed into a very sophisticated system, far superior to civil registration, and consequently Quakers have enjoyed exemptions from legislation relating to marriage registration since 1653 until the present day. A number of minutes of early quarterly meetings of the Quakers of Wales and the border counties, 1646-1838, are kept in the Public Record Office in London, RG 6/631-709. The Glamorgan Record Office in Cardiff is recognised by Friends House in London as the appropriate repository for records pertaining to Welsh Quakers. Many Quaker records relating to the border counties are kept in Hereford Record Office.

As adult baptism was the practice among Baptists, we find that Baptist registers record the births of children within the congregation as well as listing those adults who had been baptized. Often the register of adult baptisms would be combined with a list of members, and many of the earliest such records form part of a church book which can include the early history of the chapel and a statement of the founding congregation's confession of faith. A good example of a confession of faith is to be found at the beginning of the earliest register for Rhydwilym Baptist Church, on the boundary of the counties of Carmarthen and Pembroke, a volume which spans the period 1667-1823,[5] and there is another at the beginning of the church book of Llangloffan Baptist Church, Pembrokeshire, a volume which lists baptisms of adults between 1745 and 1787.[6] An example of a volume which contains a short history of the cause is the Blaen-y-waun Church Book, St Dogmaels, which contains entries between 1794 and 1815.[7]

Until they were ejected from the Established Church in 1662, many dissenting ministers had been the incumbents of parishes and had used the parish registers. Some of these ministers persevered with the keeping of registers following their ejection. When the persecution of nonconformists came to an end in 1689, however, the practice of keeping registers declined. Sometimes a minister would keep entries in his personal diary rather than in a formal register. In such cases the records form part of that minister's personal papers rather than being part of the chapel archive.[8] There is also evidence that entries were sometimes kept in family Bibles and later copied into chapel registers.[9] There was no legal reason why nonconformists should keep registers, and if a particular denomination did not possess a highly organised central administration then the pattern of record keeping tended to be fairly erratic. Some might well be kept conscientiously by one minister and then suddenly become untidy, scribbled entries riddled with gaps under the supervision of a less conscientious successor.[10]

The first piece of legislation to affect the keeping of nonconformist registers was Hardwicke's Marriage Act of 1753. Before this act marriages could be enacted by declaration before witnesses, and this is how Baptists, Quakers and other nonconformists were able to marry in their own places of worship. After the 1753 act, however, it became necessary for everyone, with the exception of Quakers and Jews, to get married in the parish church. Between 1754 and 1836 virtually every marriage in Wales was recorded in the parish registers.

Rather than protest against the effects of the Hardwicke Marriage Act, the nonconformists concentrated on attempting to persuade the state to acknowledge their birth and baptism registers, so that they could use a certificate supplied by a nonconformist minister in the same way as birth certificates are used today. In 1783 when stamp duty was introduced on registration, many believed it would at last give nonconformist registers the desired status, but the act had to be amended in 1785 in order to ensure that nonconformist registers were covered.

Towards the end of the first quarter of the nineteenth century it became apparent that nonconformist certificates did not have equal validity with Anglican certificates. The Unitarians began to oppose the Trinitarian marriage service, and some Anglican clergy refused to bury the children of Baptists in their graveyards. Agitation for a major revision of the registration laws gathered momentum. With the increase in the number of nonconformist members of parliament in 1832, it was possible to press for a number of reports and parliamentary measures which finally resulted in the passing of two acts on 17 August 1836 for the establishment of a system of civil registration of births, marriages and deaths in England and Wales. Provision was also made for marriages to be solemnized in nonconformist chapels, as long as a civil registrar was present to witness the marriage ceremony. This basic difference between chapels and churches largely disappeared with the 1898 Marriage Act, which allowed the appointment of an authorized person, usually the minister, to look after the chapel's duplicate register of marriages and to act as registrar of marriages.

In September 1836 a commission consisting of twelve men, including at least one nonconformist, was set up to enquire into the state, authenticity, and custody of birth/baptism, marriage and death/burial registers in England and Wales, other than the parochial registers. The commission was renewed in 1837 following the death of William IV, and the commissioners set about their task by sending out a circular letter to every nonconformist congregation, including the Roman Catholics, asking for the loan of registers so that their authenticity could be proved. A total of 3,630 volumes were received and authenticated and it was suggested that these registers should be placed on deposit with the Registrar General.

The response of chapels to the work of this commission was a mixed one. Some congregations which possessed registers refused to hand them over, whilst others clearly regretted that they had none to hand over. In fact, evidence exists which suggests that a few registers were created at the time using the incomplete information available.[11]

There is evidence that a few congregations experienced difficulties in attempting to conform to the wishes of the commissioners. The postman at Cemaes, Montgomeryshire, refused to accept the registers of Samuel Roberts, Llanbryn-mair, and Hugh Morgan, Cemaes, and an extant letter includes an appeal to the commissioners for guidance in the face of such a refusal, so that their congregations would not miss out on the advantages afforded by the commission.[12] Richard Owen of Llansanffraid-ym-Mechain apologizes for the late arrival of his registers and lists five legitimate reasons why he was late in sending them, reasons which include the fact that he did not receive a circular letter concerning the venture in the first place.[13] Samuel Williams, the Baptist minister of Juda Chapel, Dolgellau, on the other hand, was unwilling to send his original register to London. The register was written in Welsh and it contained a number of other items which were relevant to the life of the church. He suggested that the church officers should arrange for the register to be transcribed and the contents translated, and then the minister, the trustees and church elders would sign the volume vouching for its validity before sending it off to London.[14]

The commissioners continued in office for an extra year so that they could collect together the registers and place them on deposit in the General Register Office. The recommendations of the commissioners were embodied in the Non-Parochial Registers Act of 1840. Registers could be consulted by members of the public on payment of a shilling, virtually all of them would be acceptable as evidence in court and the Registrar General could supply certified extracts. In this way, the nonconformists had succeeded in winning everything they had campaigned for.

A list of the registers which had been examined was presented as an appendix to the commissioners' report, arranged by denomination and then by county, but the resulting list is particularly faulty. After the registers arrived at the General Register Office a further list was prepared, arranged alphabetically in county and parish order, which was published in 1841. Many weaknesses remained although several of the original mistakes had been corrected, especially mistakes connected with the spelling of Welsh place-names, some chapels were arranged under the wrong counties, and references to almost all records of marriages were omitted. The dates noted were those on the first and last leaves of the registers irrespective of the contents of the remainder of the volume, even where the entries are not all in chronological order, perhaps because the arrangement of the pages has been disturbed.

When the advantages afforded to those chapels which had complied with the commissioners' wishes became obvious to all, the other chapels which had not sent their registers to London began to feel envious. Another twenty years went by before there was any revision of the laws relating to marriage and registration. A further commission was established to enquire into the state, custody and authenticity of non-parochial registers on 1 June 1857. This commission collected together 292 registers from all over England and Wales by means of advertisements and circular letters, and of that total they rejected twenty-seven registers which were adjudged to be inaccurate and unauthentic. The remaining 265 were accepted and retained at the General Register Office for use by the public in the same way as those previously collected. They were described and listed far more fully and correctly than the first group and a composite list was drawn up by the Registrar General in 1859. This list was printed in facsimile in 1969, with Public Record Office references added in manuscript , and is volume 42 in the List & Index Society series.

These nonconformist registers were kept at Somerset House until about 1960, but very few people knew about their existence and there was very little use made of them. The situation changed when they were deposited at the Public Record Office as part of the archives of the Registrar General. An attempt has recently been made to recatalogue these registers by a member of staff of the Public Record Office in order to correct many of the mistakes which remained in the 1859 list. Microfilm copies of all the registers in groups RG 4, RG 6 and RG 8 which relate to Wales are kept at the National Library, and films of relevant registers are also kept by the county record offices, with the exception of Powys.

Since 1837 there has been little need for chapels to keep registers of any kind for legal reasons because registration has been the responsibility of the civil authorities. Some chapels continued to keep registers out of habit, although registers of communicants or members still retained their importance. As regards the use of the Welsh language, the practice of keeping registers in the language spread during the late nineteenth century and in the twentieth century. Indeed, one gets the impression that a far greater number of the registers which are now in the Public Record Office would have been kept in Welsh were it not for a feeling that entries needed to be clearly intelligible for registration purposes. A striking feature of the few registers which make use of Welsh before 1837, for example Bethesda'r Fro (Cong.) in Glamorgan and Rhos-meirch (Cong.) in Anglesey, is that they record baptisms in English and burials in Welsh, presumably because the birth/baptismal entries were of greater importance for legal and official purposes.[15]

With regard to the safeguarding of the registers and other nonconformist records in Wales, the Baptist Historical Society was established in 1901 and in 1919 the Calvinistic Methodists began to collect records relating to connexional history. This led to the General Assembly's decision to place the Calvinistic Methodist Archives on deposit at the National Library in 1934, an arrangement which continues to the present day. Every effort to persuade the Congregationalists and the Baptists in Wales to collect records together into a central archive has failed. When a questionnaire prepared by the National Library in 1935-6 was sent out enquiring about the existence of local church records, 113 returns were received from Congregational churches and 132 from Baptist churches, in contrast to an almost one hundred per cent response by parish churches. The returns show that very few chapels retained registers dating from before the nineteenth century. It was also seen that many registers were held by families of former chapel office-holders, rather than being in the possession of the churches themselves.[16]

Features of the registers
It has already been noted that nonconformist registers do not conform to any established pattern. It has also been noted how uniformity was brought to the baptismal and burial registers of the Established Church in 1754 and 1813 with the introduction of registers kept on specially printed forms bound into volumes. It is interesting to note that these Anglican registers were used by a number of Wesleyan chapels and some Congregational chapels for their own records. At least twenty-five Welsh chapels represented among the Non-parochial Registers at the Public Record Office have used Anglican registers. The majority of ministers using these registers respected the printed columns, inserting the relevant information within the proper spaces, whilst others ignored the columns and wrote across the page.[17] In the case of Beaumaris Methodist Circuit baptismal register, 1812-37, the word *'Parish'* has been crossed out on the title-page and replaced with the word *'Circuit'*.[18] Some Wesleyan chapels arranged to have their own registers printed in the same format as Anglican

registers,[19] whilst others have purchased volumes of printed forms which differ from the Anglican style.[20] In the case of the Pwllheli Circuit, eighteen small rectangular baptismal certificates have been kept at the beginning of a baptismal register.[21]

With regard to Wesleyan registers, it should be pointed out that many of them are registers of circuits of chapels, rather than a register for one chapel alone. A good example is a register based on Peniel chapel, Llandysul, which also includes a wide area of south Cardiganshire and adjoining areas of northern Carmarthenshire and Pembrokeshire.[22] It is not always possible to say which chapels are represented by a particular circuit register, and in some instances the same dates have been given for several chapels within a circuit although all the entries are not relevant to every chapel over the whole period covered by the register. Circuit registers are marked with the symbol •. We also find a Wesleyan baptismal register for the period 1837-67, which covers the whole island of Anglesey, but references to this register have not been included under the names of individual chapels. Some Wesleyan circuit registers which include entries for chapels in Wales are now in county record offices in England, e.g. some relating to Montgomeryshire are at Shrewsbury, some relating to Radnorshire are at Hereford, and some relating to Monmouthshire are at Gloucester. References to these are included in the volume.

In the case of Calvinistic Methodist registers, it appears that the Connexional authorities arranged to have the registers copied before sending them off to London. Many of the Connexional registers kept in the Public Record Office are composite volumes with several chapels represented together within the same volume. These composite registers relate to chapels over a wide area. One Cardiganshire register, for example, which includes the registers of fifteen chapels, represents a wide triangle from Llangynfelyn in the north to Lledrod in the south, and as far as Cwmystwyth to the east.[23] A similar volume from Brecknockshire contains the registers of thirteen chapels, from Builth Wells in the north down through Brecon to Crickhowell in the east, and stretching to Llywel, Defynnog and Llanwrtyd in the west.[24] In addition to these, a county register was kept in some areas, a register which appears to contain a fair copy of entries from the registers of most of the Methodist chapels in that area. In Llangefni Record Office, for example, there is a volume in which the baptismal entries for most of the Calvinistic Methodist chapels in Anglesey have been copied, and there are similar volumes for Caernarfonshire and Montgomeryshire together with a volume for Flintshire, Chester and the Wrexham area in the National Library.[25] Entries from these registers are marked with the symbol + and occasionally they even contain references to the christening of Congregationalist children. Sometimes there is a note in a chapel register showing that the entries were copied by order of the secretary of the monthly meeting. One such note can be seen in a register belonging to Capel y Graig, Penrhosgarnedd.[26] Where it has been possible to compare the register which was sent to London with the transcripts which were kept in Wales, it has been found that the transcripts contain significant discrepancies, including several omissions and different treatment of patronymic names.

Although a number of the registers which were used in the nineteenth century were printed in London, some were printed in Liverpool[27] and others were printed locally in Wales.[28] Among the most prominent of the Welsh printers producing chapel registers was the *Seren Gomer* office in Swansea under the management of Joseph Harris and his successor, J. A. Williams. *Seren Gomer*'s main customers, naturally, were Baptist chapels (Joseph Harris being a Baptist minister) and we find chapels as far away as Llanidloes and Pen-y-cae, Ruabon, using them.[29] There are a few examples of local Congregationalist chapels using them as well.[30] Many of these registers were produced for a certain chapel and the name of the chapel will be found on the title-page and sometimes in the form of a running-title at the head of each page.[31]

Another feature of some of the early nineteenth-century registers is a note on the title-page saying: "vide Evangelical Magazine, May 1815". This note refers to a letter from John Wilks, Finsbury, London, published in the *Evangelical Magazine* for May 1815 (pp. 202-3) in answer to a letter from someone using the pseudonym 'Honestus' of Newbury in the January number of that periodical (pp. 11-12). In his letter 'Honestus' complains about the deficiencies of nonconformist registers as legal evidence, and in his reply John Wilks gives an example of how an entry in a baptismal register should be worded and indicates what information the entry should contain in order to overcome the deficiencies noted by 'Honestus' in his original letter.[32]

The arrangement of the volume
The text of this volume like that of its companion, *Parish Registers of Wales*, has been arranged under the old Welsh counties as they were before being abolished by local government reorganisation in 1974. Within that structure, the arrangement follows that adopted in the index 'Capeli Cymru', which follows the volume *Royal Commission on the Church of England and other Religious Bodies in Wales and Monmouthshire. Volume VI. Appendices to Minutes of Evidence. Nonconformist County Statistics.* (London, 1911), in which chapels are arranged by civil parishes or municipal or urban districts. This information was collected in 1905 and its listing of chapels is therefore far superior to the information contained in the 1851 Religious Census.

The entries are arranged in alphabetical order under the old counties. The Welsh versions of place-names are used as given in Elwyn Davies, *A Gazetteer of Welsh*

Place-names (Cardiff, 1967). If there is a corresponding English name, or an English version of the Welsh place-name, it is placed side by side with the Welsh name separated by an oblique stroke. Where there is a significant difference between the two names, a second entry is included under the English name, and the fact that it is a second entry is indicated by the inclusion of an asterisk before the name.

The place-name is sometimes followed by a further reference, the name of a village or district within the civil parish which is more familiar today. All these names, be they the names of civil parishes, villages or districts, are included in the index at the end of the volume. The name of the chapel follows, sometimes a Biblical name, otherwise a name incorporating the name of a street if the chapel is in an urban area, or the name of a farm or locality in a rural context. When a chapel name has changed over the years, in some cases by the adoption of a Welsh spelling of the name concerned, both forms of the name are shown, separated by an oblique stroke. An abbreviation is found on the extreme right-hand side of the page at the end of the first line, which indicates the denomination of the chapel. A list of these abbreviations with their meanings is to be found at the end of the introduction. The second line in each entry is used for the O.S. national grid reference. There is a convenient explanation on how to use these references in the introduction to Elwyn Davies's volume, *A Gazetteer of Welsh Place-names* (Cardiff, 1967), pp. xv-xx. If it should prove necessary to simplify the eight-figure numbers to four figures, this can be achieved by using the first and second figures in the series and then the fifth and sixth numbers, disregarding the others.

The last line of each entry indicates what type of registers are available. The abbreviation C is used to represent births and baptisms, M is used for marriages, and B is used for deaths and burials. Following these abbreviations, the dates of the earliest and latest entries found in the registers of that category are given. Following the dates is an abbreviation in bold type which tells us at which repository the relevant register is kept. It should be noted that all the registers listed may not be originals, many are transcripts and some photocopies.

Notes

1 The database 'Capeli Cymru' is available for consultation in the Department of Manuscripts and Records at the National Library of Wales; a database listing chapels from an architectural standpoint is held by the Royal Commission on Ancient and Historical Monuments in Wales, Plas Crug, Aberystwyth; and the Clwyd Record Office holds details of over eight hundred nonconformist chapels in Clwyd on a database which comprises information collected by the Clwyd Chapels Project. The Clwyd Family History Society has prepared an index of personal names from the Non-parochial Registers held at the Public Record Office which relate to counties Denbigh and Flint, and is available at the Clwyd Record Office.

2 In practice this means that it includes details of practically all pre-1837 nonconformist registers, most of which are in the Public Record Office, but after 1837 it only lists details of chapels which have deposited their registers in public repositories. For the addresses of the secretaries of chapels which still retain their registers, see the various denominational year-books which are available in most public libraries and record offices.

3 Michael Gandy, *Catholic Missions and Registers 1700-1880, volume 3 Wales and the West of England* (London, 1993).

4 Two Welsh examples of this type of register from the Commonwealth period, both relating to Pembrokeshire, are Cardiff MS 4.44 at Cardiff Central Library, dated 1654-8, which relates to the parishes of Little Newcastle, Puncheston, Castlebythe, Morvil, Llanychaer and Llanfair Nant-y-gof; and the earliest Llawhaden parish register at the National Library of Wales, dated 1653-9, which relates to the parishes of Llawhaden, Wiston and Bletherston.

5 NLW Minor Deposit 127A. See plate number 2 in this volume for a photograph of a marriage entry from the Rhydwilym register.

6 NLW Minor Deposit 412A.

7 NLW Minor Deposit 505B. David Jones of Carmarthen in his history of the Baptists in South Wales *(Hanes y Bedyddwyr yn Neheubarth Cymru*, Caerfyrddin, 1839, pp. 253-4) praises this church book as being by far the best in South Wales as it contains a record of all the significant events in the chapel's history, extremely well arranged and most beautifully written. He adds that it would be worthwhile for every chapel in Wales to send its minister or deacons to St Dogmaels to inspect this attractive and excellent volume so that they could produce something similar.

8 The custom of transcribing entries from a personal diary into an official register is referred to by S. Griffiths, the minister of Horeb (Cong.) chapel, Llandysul, in 1837, see PRO: RG 4/1684, ff. 56v-7, and by Cadwaladr Jones in one of the registers of Hen Gapel (Cong.), Dolgellau, see RG 4/3899: "This book contains 947 names entered see 104th page; they were generally entered into this from small diaries into which I generally enter them by a lead pencil when the children are baptized - Yours &c. Cadr. Jones, Minister."

9 Evidence of individuals transcribing entries from family Bibles is found in a letter from Jenkin Davies, Salem (CM) chapel, Troed-yr-aur, Cardiganshire, see RG 4/2515: "The last seven Baptisms in the Register of Salem were taken from family Bibles on which they were written at first because Salem had no Register at that time, and when the said names were entered on the Register the parents of these Children testified that all the particulars in the account of the said Baptisms were Correct. Your Obt. Servt. Jenkin Davies."
There are two similar notes in the register of Capel y Pandy (CM), Llanuwchllyn, see RG 4/4121. The relevant entries were copied from the family Bibles in the presence of the parents.

10 Daniel Thomas, the minister of Penrhiwgaled (Cong.) chapel, Synod Inn, for example, admits that he was not aware of the necessity of making a note of births in his baptismal register, see RG 4/3805. In the register of Ardd-las (CM) chapel, Trawsfynydd, RG 4/3473, we find six blank lines followed by the note "The six persons who ought to be registered in these lines were Baptized before we had the Register and so they were neglected."

11 One example of a register which was apparently created in response to the commissioners' appeal, is the register of Siloam (Cong.) chapel, Llanelli, Brecknockshire, 1829-35, see RG 4/4441; that is also the case with the births register of the English Baptist chapel, Abersychan, 1830-7, where we find four children of James Downton, labourer, and

Martha, his wife, born in 1827, 1830, 1832 and 1833, but entered in the register together by Stephen Price, the minister, on 9 February 1837, see RG 4/2463.

12 RG 4/4068.

13 RG 4/3452. John Davies, the minister of Glan-dŵr (Cong.) chapel, Llanfyrnach, Pembrokeshire, also complains that many Congregational ministers had not received a request for their registers from the commissioners, see RG 4/3915.

14 RG 4/3898. Another minister who appeared unwilling to part with his register was J. W. Griffiths, a Congregationalist minister in the St Davids district of Pembrokeshire. In a letter to the commissioners concerning the register for Rhodiad and Ebenezer chapels, dated 3 April 1837, he says: "I am not quite willing that it should remain there for the following reasons, - I am frequently applied to by Parents for the age of their children on different occasions, which I shall not be able to furnish them with, - at least without considerable expense, - if I part entirely with the Book. Besides, it cost me 14/- and I want it for the insertion of the Church members names, the time of their admission, and other occasions in the Church.", RG 4/4071.

15 See Bethesda'r Fro, RG 4/1691, and Rhos-meirch, RG 4/2902.

16 E. D. Jones, "Nonconformist Records in Wales", *Archives*, vol. V, no. 25 (1961), p. 9.

17 Examples of chapels where the entries have been made in the registers by writing across the columns are Salem (Cong.) chapel, Porthmadog, RG 4/4028 and Chester Road (W) chapel Holywell, RG 4/4083.

18 RG 4/4002

19 A good example is to be found in the baptismal register of Pembroke Dock (W) chapel, 1839-57, a volume which was printed by John Mason, 14 City Road, London, RG 4/3917, and another for the same chapel for the period 1847-58, RG 4/3918.

20 For a typical example see the Llanfair Caereinion circuit register, RG 4/3959.

21 RG 4/3486.

22 RG 4/4009.

23 RG 4/4013.

24 RG 4/4112.

25 The reference for the Anglesey volume, 1792-1845, is GASL: WM 627, see plate number 12 in this volume; the Flintshire, Chester and Wrexham district volume, 1805-36, is NLW: CMA 13148; the Montgomeryshire volume, 1807-37 is NLW: CMA 27502; and the Caernarfonshire volume, 1809-37, is NLW: CMA Bala College Safe (1934) III, 3.

26 RG 4/3873. A similar note is found in a Betws-yn-Rhos register, RG 4/3872.

27 One of the registers printed by H. Forshaw, Edmund Street, Liverpool, for the Calvinistic Methodists was used by the Congregationalists in Llechylched, Anglesey, see RG 4/3788.

28 Among the Welsh printers are Enoch Jones of Llannerch-y-medd, RG 4/3793; John Jones of Llanrwst, RG 4/3949; and E. Williams of Bridge Street, Aberystwyth, RG 4/3813.

29 Llanidloes (Bap.), RG 4/3958, see plate number 8 in this volume; Pen-y-cae (Bap.), Ruabon, RG 4/3490.

30 Two local Congregationalist chapels which used *Seren Gomer* registers were Pant-teg, RG 4/3495, and Mynydd-bach, RG 4/3497.

31 The registers of Bethania (Cong.) chapel, Pennant, Montgomeryshire, RG 4/4100, and Ebeneser (Bap.) chapel, Llangynog, Carmarthenshire, RG 4/3944, are examples of registers which were specially printed for those chapels.

32 A long quotation from the *Evangelical Magazine* was printed in one of the registers of Capel Als (Cong.) chapel, Llanelli, Carmarthenshire, RG 4/4060, and a similar quotation is found in a register for Henryd (Cong.) chapel, Caernarfonshire, RG 4/4089. References

to the *Evangelical Magazine* were also found in the registers of Hawen and Bryngwenith (Cong.) chapels, Cardiganshire, RG 4/3053, Cwrtycadno (CM) chapel, Carmarthenshire, RG 4/4014, and Tabernacle (Cong.) chapel, Holyhead, RG 4/4088.

ABBREVIATIONS

B	burials/dates of death
Bap.	Baptist
BC	Bible Christian
C	christenings/births
CM	Calvinistic Methodist
Cong.	Congregationalist
EP	English Presbyterian
FM	United Free Methodist
M	marriages
M	Mormon
MF	Methodist Free Church
MN	Methodist New Connexion
MR	Moravian
PM	Primitive Methodist
Q	Quaker/Society of Friends
SB	Scottish Baptist
U	Unitarian
UR	United Reformed
W	Wesleyan Methodist
+	A composite baptismal register belonging to the Calvinistic Methodists but also containing some references to Congregationalists.
•	A Wesleyan Methodist circuit register.

REPOSITORIES

CARM RO Dyfed Archive Service, Carmarthenshire Record Office, County Hall, Carmarthen, Dyfed, SA31 1JP. Tel: 0267 233333 ext. 4182.

CER RO Dyfed Archive Service, Ceredigion Record Office, Swyddfa'r Sir, Aberystwyth, Dyfed, SY23 2DE. Tel: 0970 617581 ext. 2120.

CROH Clwyd Record Office, The Old Rectory, Hawarden, Deeside, Clwyd, CH5 3NR. Tel: 0244 532364.

CROR Clwyd Record Office, 46 Clwyd Street, Ruthin, Clwyd, LL15 1HP. Tel: 0824 703077.

GASC Gwynedd Archives Service, Caernarfon Record Office, Victoria Dock, Caernarfon (letters addressed to County Offices, Shirehall Street, Caernarfon, Gwynedd, LL55 1SH). Tel: 0286 679095.

GASD Gwynedd Archives Service, Dolgellau Record Office, Cae Penarlâg, Dolgellau, Gwynedd, LL40 2YB. Tel: 0341 422341 ext. 3300/3302.

GASL Gwynedd Archives Service, Llangefni Record Office, Shirehall, Llangefni, Gwynedd, LL77 7TW. Tel: 0248 750262 ext. 269.

GLAM RO Glamorgan Archive Service, County Hall, Cathays Park, Cardiff, CF1 3NE. Tel: 0222 820820.

GRO Gloucestershire County Record Office, Clarence Row, Alvin Street, Gloucester, GL1 3DW. Tel: 0452 425295.

GWENT RO Gwent County Record Office, County Hall, Cwmbran, Gwent, NP44 2XH. Tel: 0633 838838.

HRO Hereford Record Office, The Old Barracks, Harold Street, Hereford, HR1 2QX. Tel: 0432 265441.

MTL Merthyr Tydfil Central Library, High Street, Merthyr Tydfil, Mid Glamorgan, CF47 8AF. Tel: 0685 723057.

NLW National Library of Wales, Aberystwyth, Dyfed, SY23 3BU. Tel: 0970 623816 ext. 323.

PEMB RO Dyfed Archive Service, Pembrokeshire Record Office, The Castle, Haverfordwest, Dyfed, SA61 2EF. Tel: 0437 763707.

PRO Public Record Office, Chancery Lane, London WC2A 1LR. Tel: 081-876-3444.

PSRO Powys County Archives Office, County Hall, Llandrindod Wells, Powys, LD1 5LG. Tel: 0597 826087.

SRO Shropshire Record Office, The Shirehall, Abbey Foregate, Shrewsbury, SY2 6ND. Tel: 0743 252852.

UWB Department of Manuscripts, The Library, University of Wales, Bangor, Gwynedd, LL57 2DG. Tel: 0248 351151.

W GLAM RO West Glamorgan County Archive Service, County Hall, Swansea, SA1 3SN. Tel: 0792 471589.

LLYFRYDDIAETH DDETHOL - SELECT BIBLIOGRAPHY

T. M. Bassett, *Bedyddwyr Cymru/The Welsh Baptists* (Abertawe/Swansea, 1977).

Geoffrey R. Breed, *My Ancestors were Baptists* (London: Society of Genealogists, 1986).

D. J. H. Clifford, *My Ancestors were Congregationalists* (London: Society of Genealogists, 1992).

Eric Edwards, *Yr Eglwys Fethodistaidd* (Llandysul, 1980).

Muriel Bowen Evans, 'Nonconformity', in *Welsh Family History - a guide to research* ([Aberystwyth], 1993).

R. Tudur Jones, *Hanes Annibynwyr Cymru* (Abertawe, 1966).

Bernard Lord Manning, *The Protestant Dissenting Deputies* (Cambridge, 1952).

Edward H. Milligan & Malcolm J. Thomas, *My Ancestors were Quakers* (London: Society of Genealogists, 1983).

Michael Mullett, *Sources for the History of English Nonconformity 1660-1830* (British Records Association, Archives and the User No. 8).

W. R. Powell 'Protestant Nonconformist Records', *Archives*, V, no. 25 (1961), pp. 1-12, which includes 'Nonconformist Records in Wales' by E. D. Jones, p. 9.

Bert J. Rawlins, *The Parish Churches and Nonconformist Chapels of Wales: their records and where to find them*, Volume One - Cardigan-Carmarthen-Pembroke (Salt Lake City, 1987).

R. B. Rose, 'Some National Sources for Protestant Nonconformist and Roman Catholic History', *Bulletin of the Institute of Historical Research*, XXXI (1958), pp. [79]-83.

Janet Smith, 'The Local Records of Nonconformity', *The Local Historian*, VIII, no. 4 (1968), pp. 131-8.

D. J. Steel, *Sources for Nonconformist Genealogy and Family History* (Chichester, 1973).

Gildas Tibbott & K. Monica Davies, 'The Archives of the Calvinistic Methodist or Presbyterian Church of Wales', *Cylchgrawn Llyfrgell Genedlaethol Cymru/The National Library of Wales Journal*, V, rhifyn/no. 1, Haf/Summer 1947, pp. 13-49.

Edwin Welch, 'Nonconformist Registers', *Journal of the Society of Archivists*, II, no. 9 (April 1964), pp. 411-17.

C. J. Williams & J. Watts-Williams, *Cofrestri Plwyf Cymru/Parish Registers of Wales* ([Aberystwyth], 1986).

1   Tudalen o Lyfr Ilston, llyfr eglwys y Bedyddwyr yn Llanilltud Gŵyr. Morgannwg. yn rhestru aelodau a dderbyniwyd i'r eglwys yn 1649-50. Y gyfrol hon, sydd bellach yn Unol Daleithiau America, yw'r gofysgrif anghydffurfiol Gymreig gynharaf.

A page from the Ilston Book, the church book of the Baptists of Ilston in Gower. co. Glamorgan, listing members added to the church during 1649-50. This volume, now in the United States of America, is the earliest Welsh nonconformist record in existence.

2 Cofnod priodas gerbron tystion, dyddiedig 1 Gorffennaf 1682, o gofrestr eglwys y Bedyddwyr, Rhydwilym, sir Gaerfyrddin.

A marriage entry signed by witnesses, dated 1 July 1682, from the Rhydwilym Baptist Church register, co. Carmarthen.

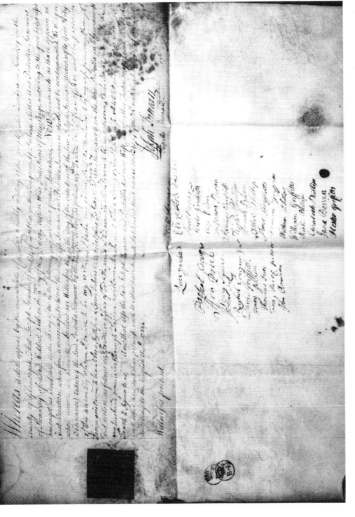

3 Tystysgrif priodas, dyddiedig 24 [Mawrth] 1733/4, yn cofnodi priodas Joseph Inman a Priscilla Summers gerbron cyfarfod o'r Crynwyr yn Abertawe, Morgannwg.

Marriage certificate, dated 24 [March] 1733/4, of Joseph Inman and Priscilla Summers before a meeting of the Society of Friends (Quakers) at Swansea, co. Glamorgan.

4 Cofrestr Eglwys y Morafiaid yn Hwlffordd, sir Benfro, yn cofnodi claddedigaethau rhwng 1764 a 1770. Defnyddiwyd mynwent y Morafiaid, St Thomas's Green o 1767 ymlaen.

Register of the Moravian Church at Haverfordwest, co. Pembroke, recording burials between 1764 and 1770. The Moravian burial-ground at St. Thomas's Green was used from 1767 onwards.

5 Cofrestr un o gapeli Cyfundeb Iarlles Huntingdon, yn y Burrows. Abertawe, Morgannwg, yn cofnodi bedyddiadau yn 1806.

Register of a chapel belonging to the Countess of Huntingdon's Connexion at the Burrows, Swansea, co. Glamorgan, recording baptisms in 1806.

6 Cofnod claddu Mrs Abigail Lewis, gwraig gweinidog eglwys yr Annibynwyr, Tredwstan, sir Frycheiniog, 1809, yn nodi iddi farw yn Llandrindod tra'n ceisio iachâd trwy yfed y dyfroedd yno.

Burial entry from the register of Tredustan Congregational Church, co. Brecknock, 1809, recording that Mrs Abigail Lewis, the minister's wife, died at Llandrindod Wells, having gone there for the benefit of the waters.

Margaret the daughter of Benjamin Williams
Wernisau Landovalley died January 14. 1831
aged 12 years

Thomas Price Brechfa Icha Landovalley died June
the 11.th 1834 aged 55

Josuah Jones Warren Thersow in the Hamlet of
Pipton the Parish of Llyswen died March 30.th
1836 aged 71 ———— Brecon Shire

Elizabeth the daughter of Abraham Bowen by Mary
his wife of the Parish of Boughrood Radnorshire
died October the first 1818 aged 9 months
the first that was inter'd within the walls of
Maesyronnen

Ann Jones the wife of the Revd David Jones
Bronllys Cottage Brecon Shire died
August the 30.th 1826 aged 59

Elizabeth Jones the daughter of David & Ann Jones
died March 27 – 1828 aged 27 years

John Reid Hampton Court (Gardoner) in the
Parish of Glasbury died July the 9.th 1833
aged 69 the above four were buried
within the walls of Maesyronnen
Radnor Shire for the want of Burial
Ground

7 Cofnodion marwolaeth a chladdu, 1818-36, o gofrestr Eglwys Annibynnol Maesyronnen, sir Faesyfed, yn nodi bod rhai aelodau wedi eu claddu o fewn yr adeilad am nad oedd gan y capel fynwent.

Death and burial entries, 1818-36, from the register of Maesyronnen Congregational Church, co. Radnor, recording that the bodies of some members had been interred within the building for want of a burial-ground.

¡D

COFLYFR

AT WASANAETH

Y GYNULLEIDFA

o

Ymneillduwyr Protestanaidd

PERTHYNOL I'R

BEDYDDWYR NEILLDUOL,

A GYFARFYDDANT

ER CADW ADDOLIAD DWYFOL

YN

LLANIDLOES,

SWYDD DREFALDWYN.

————————

Abertawe:

ARGRAFFEDIG YN SWYDDFA SEREN GOMER, GAN J. HARRIS.

————

1821.

8 Wyneb-ddalen cofrestr a argraffwyd yn bwrpasol gan wasg Seren Gomer, Abertawe, yn 1821, ar gyfer eglwys y Bedyddwyr, Llanidloes, sir Drefaldwyn.

Title-page of a register printed by the Seren Gomer press, Swansea, in 1821, for the use of the Baptist Church at Llanidloes, co. Montgomery.

No. 115 Rebecca — the Daughter of James Leonard of Pontypool in the Parish of Trevethin — in the County of Monmouth "principle a rogue by Profesion a wesleyan Local Preacher" by Trade a Forgeman — and of Mary — his wife, who was the daughter of Abraham — and Hannah Nicholls was born on the twenty seventh day of March — in the year of our Lord one thousand eight hundred and twenty nine — : And was solemnly baptized with water, in the name of the Father, of the Son, and of the Holy Ghost, on the twenty fourth day of April the year of our Lord one thousand eight hundred and twenty nine by me Joshua Hocken

No. 116 Margaret the Daughter of Thomas Dews of Joshua Hocken

9 Cofnod bedydd Rebecca Leonard, 1829, o gofrestr y Methodistiaid Wesleaidd yn ardal Trefddyn, sir Fynwy, lle dywedir am dad y ferch, mewn sylw ysmala yn llaw Joshua Hocken, y gweinidog: "in principle a rogue & by Profession a Wesleyan Local Preacher!"

Baptismal entry of Rebecca Leonard, 1829, from the register of the Wesleyan Methodists of Trevethin, co. Monmouth, where the child's father is described in jest by the minister, Joshua Hocken, as being: "in principle a rogue & by Profession a Wesleyan Local Preacher!"

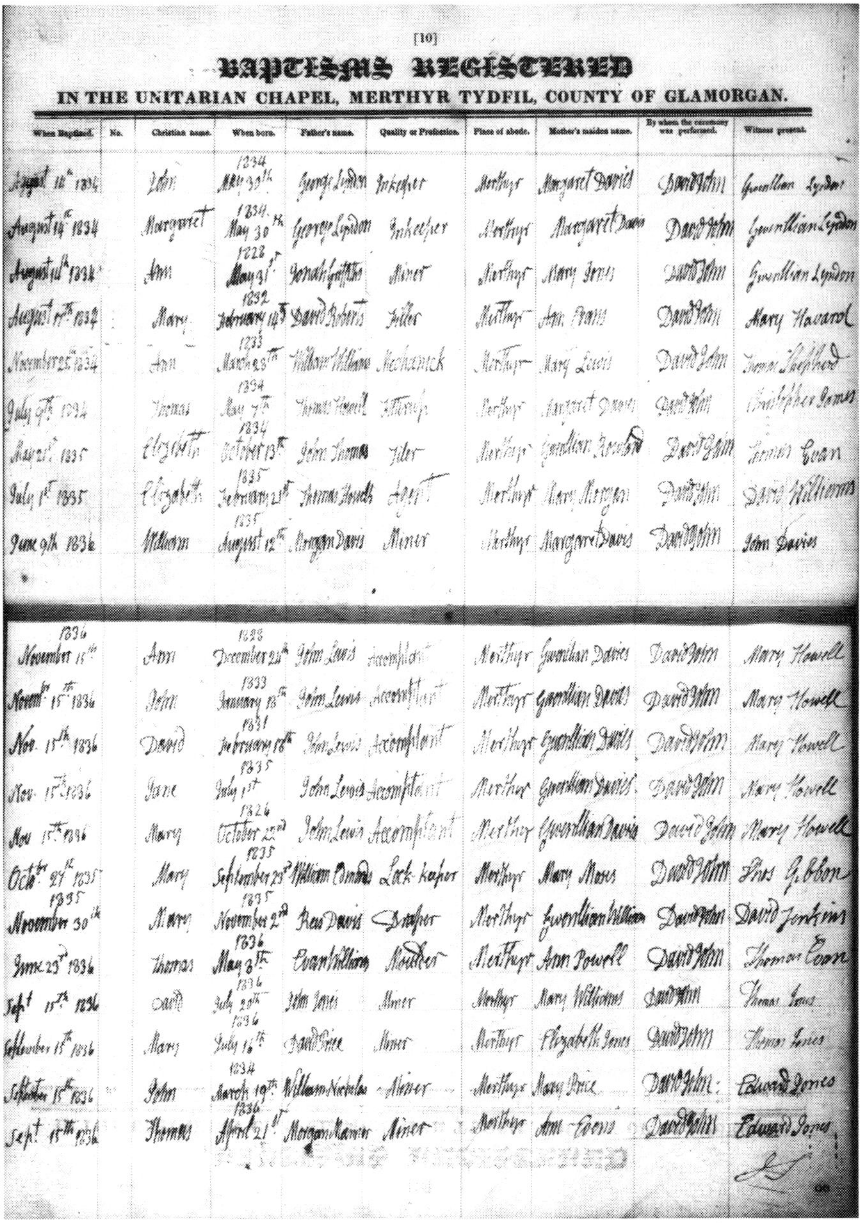
[10]

BAPTISMS REGISTERED

IN THE UNITARIAN CHAPEL, MERTHYR TYDFIL, COUNTY OF GLAMORGAN.

When Baptized.	No.	Christian name.	When born.	Father's name.	Quality or Profession.	Place of abode.	Mother's maiden name.	By whom the ceremony was performed.	Witness present.
August 11th 1834		John	1834 May 30th	George Lyndon	Innkeeper	Merthyr	Margaret Davies	David John	Gwenllian Lyndon
August 14th 1834		Margaret	1834 May 30th	George Lyndon	Innkeeper	Merthyr	Margaret Davies	David John	Gwenllian Lyndon
August 11th 1834		Ann	1828 May 31st	Jonah Griffiths	Miner	Merthyr	Mary Jones	David John	Gwenllian Lyndon
August 17th 1834		Mary	1832 February 14th	David Roberts	Filler	Merthyr	Ann Evans	David John	Mary Havard
November 25 1834		Ann	1833 March 28th	William Williams	Mechanick	Merthyr	Mary Lewis	David John	Thomas Shepherd
July 9th 1834		Thomas	1834 May 7th	Thomas Howell	Attorney	Merthyr	Margaret Davies	David John	Christopher James
March 21st 1835		Elizabeth	1834 October 13th	John Thomas	Filer	Merthyr	Gwenllian Rowland	David John	Thomas Evan
July 1st 1835		Elizabeth	1835 February 21st	Thomas Howells	Agent	Merthyr	Mary Morgan	David John	David Williams
June 9th 1836		William	1835 August 12th	Morgan Davies	Miner	Merthyr	Margaret Davies	David John	John Davies
1836 November 15th		Ann	1828 December 24th	John Lewis	Accomptant	Merthyr	Gwenllian Davies	David John	Mary Howell
Novr 15th 1836		John	1833 January 13th	John Lewis	Accomptant	Merthyr	Gwenllian Davies	David John	Mary Howell
Nov. 15th 1836		David	1831 February 18th	John Lewis	Accomptant	Merthyr	Gwenllian Davies	David John	Mary Howell
Nov. 15th 1836		Jane	1835 July 1st	John Lewis	Accomptant	Merthyr	Gwenllian Davies	David John	Mary Howell
Nov 15th 1836		Mary	1826 October 22nd	John Lewis	Accomptant	Merthyr	Gwenllian Davies	David John	Mary Howell
Octbr 27th 1835		Mary	1835 September 23rd	William Edmunds	Lock keeper	Merthyr	Mary Moses	David John	Thos Gibbon
1835 November 30th		Mary	1835 November 2nd	Rees Davies	Draper	Merthyr	Gwenllian William	David John	David Jenkins
June 23rd 1836		Thomas	1836 May 8th	Evan Williams	Moulder	Merthyr	Ann Powell	David John	Thomas Evan
Sept 15th 1836		David	1836 July 20th	John Jones	Miner	Merthyr	Mary Williams	David John	Thomas Jones
September 15th 1836		Mary	1836 July 16th	David Price	Miner	Merthyr	Elizabeth Jones	David John	Thomas Jones
September 15th 1836		John	1834 March 19th	William Nicholas	Miner	Merthyr	Mary Price	David John	Edward Jones
Sept 15th 1836		Thomas	1836 April 21st	Morgan Mamer	Miner	Merthyr	Ann Evans	David John	Edward Jones

10 Cofnodion bedyddiadau, 1834-6, o gofrestr a argraffwyd yn bwrpasol ar gyfer Capel Undodaidd Twynyrodyn, Merthyr Tudful, sir Forgannwg.

Baptismal entries, 1834-6, from a register printed for Twynyrodyn Unitarian Chapel, Merthyr Tydfil, co. Glamorgan.

11 Cofnod bedyddio'r nofelydd Daniel Owen ar 3 Tachwedd 1836 yng nghapel y Methodistiaid Calfinaidd. Yr Wyddgrug. sir y Fflint.

Baptismal entry of the novelist Daniel Owen. 3 November 1836. at Mold Calvinistic Methodist chapel. co. Flint.

12 Rhan o gofrestr gyfansawdd Methodistiaid Calfinaidd Môn a luniwyd yn 1837 pan anfonwyd y cofrestri gwreiddiol at y Cofrestrydd Cyffredinol. Gwelir cofnod bedydd y Parchedig Owen Thomas, Caergybi, taid Saunders Lewis, yn 1812.

Part of the composite register of the Calvinistic Methodists of Anglesey which was transcribed in 1837 before the original registers were sent to the Registrar General. One of the entries shown is that of the Reverend Owen Thomas, Holyhead. Saunders Lewis's grandfather, in 1812.

ABERTEIFI/CARDIGANSHIRE

ABERAERON   Tabernacle   *CM*
O.S. ref.   SN 45726302
C 1833-7 **PRO**

ABERAERON   Peniel   *Cong.*
O.S. ref.   SN 45886281
C 1791-1896 **NLW**

ABERAERON   Salem   *W*
O.S. ref.   SN 45826302
C 1839-1973 • **NLW**

ABER-PORTH   Blaenannerch   *CM*
O.S. ref.   SN 24774910
C 1805-37 **PRO**

ABERTEIFI/CARDIGAN   Tabernacle   *CM*
O.S. ref.   SN 17804624
C 1808-37 **PRO**   1878-99 **NLW**

ABERTEIFI/CARDIGAN   Capel Mair   *Cong.*
O.S. ref.   SN 17994613
C 1803-37 **PRO**

ABERTEIFI/CARDIGAN   Ebenezer   *W*
O.S. ref.   SN 17854613
C 1839-84 • **NLW**

ABERYSTWYTH   Bethel   *Bap.*
O.S. ref.   SN 58358180
C 1788-1837 **NLW**   B 1798-1810 **NLW**

ABERYSTWYTH   Shiloh/Seilo   *CM*
O.S. ref.   SN 58648185
C 1863-1953 **NLW**

ABERYSTWYTH   Tabernacle   *CM*
O.S. ref.   SN 58348144
C 1811-37 **PRO**   1811-40,1860-84 **NLW**

ABERYSTWYTH   Baker Street, Seion   *Cong.*
O.S. ref.   SN 58358174
C 1804-37 **PRO**

ABERYSTWYTH   Portland Street   *Cong.*
O.S. ref.   SN 58418187
C 1898-1912 **NLW**   M 1898-1911 **NLW**   B 1898-1911 **NLW**

ABERYSTWYTH   Alexandra Road/Lewis Terrace, Soar   *FM*
O.S. ref. SN 58428158
C 1868-92 **NLW**

ABERYSTWYTH Queen's Road   *W*
O.S. ref. SN 58458199
C 1866-1964 **NLW**

ABERYSTWYTH   Queen Street/St Paul's   *W*
O.S. ref. SN 58208159
C 1835-1919 • **NLW**

ABERYSTWYTH Siloam   *W*
O.S. ref. SN 58598175
C 1869-1919 • **NLW**

BETWS BLEDRWS   Pen-y-coed/Pencoedgleision   *Bap.*
O.S. ref. SN 58865195
B 1751-1857 **NLW**

BETWS IFAN Beulah   *Cong.*
O.S. ref. SN 28784609
C 1837-89 **NLW**   B 1861-89 **NLW**

BLAENPENNAL   Peniel   *CM*
O.S. ref. SN 63286423
C 1813-37 **PRO**

BLAEN-PORTH   Bryn Mair   *Cong.*
O.S. ref. SN 26745019
C 1860-88 **NLW**   B 1860-81 **NLW**

BRON-GWYN   Tre-wen   *Cong.*
O.S. ref. SN 29284184
C 1785-1816 **PRO**   1819-89 **CARM RO**   1819-89 **CER RO**   B 1845-89 **CARM RO**
1845-89 **CER RO**

*CARDIGAN/ABERTEIFI   Tabernacle   *CM*
O.S. ref. SN 17804624
C 1808-37 **PRO**   1878-99 **NLW**

*CARDIGAN/ABERTEIFI   Capel Mair   *Cong.*
O.S. ref. SN 17994613
C 1803-37 **PRO**

*CARDIGAN/ABERTEIFI   Ebenezer   *W*
O.S. ref. SN 17854613
C 1839-84 • **NLW**

CARON-IS-CLAWDD Tregaron, Argoed   *Bap.*
O.S. ref.   SN 67845893
B 1751-1857 **NLW**

CARON-IS-CLAWDD Tregaron, Bwlch-gwynt   *CM*
O.S. ref.   SN 67785964
C 1810-37 **PRO**

CARON-IS-CLAWDD Tregaron   *W*
O.S. ref.   SN 67965958
C 1839-1970 • B 1830-1944 **NLW**

CEINEWYDD/NEW QUAY Tabernacle   *CM*
O.S. ref.   SN 38955983
C 1815-37 **PRO**

CEULAN-A-MAESMOR Tal-y-bont, Bethel   *Cong.*
O.S. ref.   SN 65498955
C 1805-37 **PRO**   1805-61 **NLW**   B 1850-8 **NLW**

CILCENNIN Ebenezer   *W*
O.S. ref.   SN 51936043
C 1839-1973 • **NLW**

CILIAU AERON   *U*
O.S. ref.   SN 49845847
M 1928-64 **CER RO**

CLARACH Hephsibah/Ty'n-y-pwll   *Cong.*
O.S. ref.   SN 60528438
C 1815-50 **NLW**

CWMRHEIDOL Ponterwyd   *CM*
O.S. ref.   SN 74908090
C 1813-37 **PRO**   B 1934 **NLW**

CWMRHEIDOL Troedrhiwsebon/Bethel   *W*
O.S. ref.   SN 72137825
C 1872-1936 • **NLW**

CWMRHEIDOL Ystumtuen, Ebeneser/Salem   *W*
O.S. ref.   SN 73537857
C 1835-1936 • **NLW**

CYFOETHYBRENIN Y Borth, Libanus/Gerlan   *CM*
O.S. ref.   SN 60868975
C 1810-37 **PRO**   1866-1917 **NLW**

CYFOETHYBRENIN Y Borth, Soar   *CM*
O.S. ref. SN 60928950
C 1810-37 **PRO**   1837-87 **NLW**

CYFOETHYBRENIN Y Borth   *Cong.*
O.S. ref. SN 60898999
C 1887-1928 **NLW**   M 1890-9 **NLW**   B 1887-1902 **NLW**

CYFOETHYBRENIN Y Borth, Shiloh   *W*
O.S. ref. SN 60838933
C 1835-1964 • **NLW**

CYNNULL MAWR Bow Street, Garn   *CM*
O.S. ref. SN 62678541
C 1806-1927 **NLW**   1806-37 **PRO**

DOETHÏE CAMDDWR   Soar-y-mynydd   *CM*
O.S. ref. SN 78545328
C 1811-35 **PRO**

FAENOR UCHAF Capel Dewi   *CM*
O.S. ref. SN 62998239
C 1817-36 **PRO**   1857-92 **NLW**

GARTHELI Abermeurig   *CM*
O.S. ref. SN 56465624
C 1813-36 **PRO**

GORWYDD Llanddewibrefi, Bethesda   *CM*
O.S. ref. SN 66245543
C 1826-37 **PRO**

GORWYDD Llanddewibrefi, Wern Driw   Q
O.S. ref. SN 65685474
B 1781-90 **GLAM RO**

GWNNWS ISAF Ty'n-y-graig, Caradog   *CM*
O.S. ref. SN 69296944
C 1871-1992 **NLW**

GWNNWS UCHAF Pontrhydfendigaid   *CM*
O.S. ref. SN 73056665
C 1821-37 **PRO**   1877-1934,1936-61 **NLW**   B 1924, 1939, 1945-67, 1990 **NLW**

GWYNFIL Llangeitho, Capel Gwynfil   *CM*
O.S. ref. SN 62055979
C 1748, 1798, 1820-1913 **NLW**   1798-1837 **PRO**

HENFYNYW Ffos-y-ffin   *CM*
O.S. ref. SN 44826066
C 1807-37 **PRO**

HENFYNYW   Neuadd-lwyd   *Cong.*
O.S. ref. SN 47455961
C 1791-1837 **PRO**   1791-1896 **NLW**

*LAMPETER/LLANBEDR PONT STEFFAN   Shiloh/Tabernacle   *CM*
O.S. ref. SN 57464817
C 1813-37 **PRO**

*LAMPETER/LLANBEDR PONT STEFFAN   Soar   *Cong.*
O.S. ref. SN 57684795
C 1872-87 **NLW**

*LAMPETER/LLANBEDR PONT STEFFAN   St Thomas   *W*
O.S. ref. SN 57724804
C 1835-1931 **NLW**   1839-1973 • **NLW**   B 1835-1931 **NLW**

LLANAFAN   Capel Afan   *CM*
O.S. ref. SN 68387192
C 1822-37 **PRO**

LLANBADARN ODWYN   Llwynpiod   *CM*
O.S. ref. SN 64246095
C 1820-37 **PRO**   1832-1936 **NLW**

LLANBADARN TREFEGLWYS   Bethania   *CM*
O.S. ref. SN 57196302
C 1821-37 **PRO**

LLANBADARN TREFEGLWYS   Pennant   *CM*
O.S. ref. SN 51276310
C 1821-37 **PRO**

LLANBADARN-Y-CREUDDYN   Aber-ffrwd   *CM*
O.S. ref. SN 68617884
C 1816-37 **PRO**

LLANBADARN-Y-CREUDDYN   Capel Seion   *CM*
O.S. ref. SN 63167932
C 1823-37 **PRO**   1823-1962 **NLW**   M 1916-62 **NLW**   B 1847-51,1891-1962 **NLW**

LLANBADARN-Y-CREUDDYN   Ceunant/Pisgah   *CM*
O.S. ref. SN 68517776
C 1880-1988 **NLW**

LLANBADARN-Y-CREUDDYN   Rhydyfelin, Gosen   *CM*
O.S. ref. SN 59067893
C 1813-1926 **NLW**   1817-37 **PRO**

LLANBADARN-Y-CREUDDYN Dyffryn Paith, Beulah   *Cong.*
O.S. ref. SN 60637846
C 1815-1971 **NLW**

LLANBEDR PONT STEFFAN/LAMPETER Shiloh/Tabernacle   *CM*
O.S. ref. SN 57464817
C 1813-37 **PRO**

LLANBEDR PONT STEFFAN/LAMPETER Soar   *Cong.*
O.S. ref. SN 57684795
C 1872-87 **NLW**

LLANBEDR PONT STEFFAN/LAMPETER St Thomas   *W*
O.S. ref. SN 57724804
C 1835-1931 **NLW**   1839-1973 • **NLW**   B 1835-1931 **NLW**

LLANDDEINIOL Elim   *CM*
O.S. ref. SN 56217206
C 1835-7 **PRO**   1835-1990 **NLW**   B 1845-60 **NLW**

LLANDDEWI ABER-ARTH Bethel   *CM*
O.S. ref. SN 47896388
C 1816-36 **PRO**

LLANDYSILIOGOGO Pen-sarn   *CM*
O.S. ref. SN 38105482
C 1813-37 **PRO**

LLANDYSUL Horeb   *Cong.*
O.S. ref. SN 39434250
C 1797-1837 **PRO**   1815-56,1860-1 **NLW**

LLANDYSUL Capel Dewi, Bethel/Capel Enoc   *W*
O.S. ref. SN 44964240
C 1839-1973 • **NLW**

LLANDYSUL Peniel   *W*
O.S. ref. SN 41794065
C 1809-37 • **PRO**   1839-1973 • **NLW**   M 1906-65 **CER RO**   B 1811-38 • **NLW**

LLANFIHANGEL-Y-CREUDDYN Capel Cynon   *CM*
O.S. ref. SN 65537607
C 1813-37 **PRO**   1813-1901,1932 **NLW**

LLANFIHANGEL-Y-CREUDDYN Cwmystwyth   *CM*
O.S. ref. SN 78547416
C 1813-37 **PRO**   1837-1943 **NLW**

LLANFIHANGEL-Y-CREUDDYN Pontarfynach/Devil's Bridge *CM*
O.S. ref. SN 73667684
C 1933-8 **NLW**

LLANFIHANGEL-Y-CREUDDYN Rhos-y-gell *CM*
O.S. ref. SN 74077464
C 1871-1912 **NLW**

LLANFIHANGEL-Y-CREUDDYN Trisant *CM*
O.S. ref. SN 71707576
C 1822-37 **PRO** B 1932-4 **NLW**

LLANFIHANGEL-Y-CREUDDYN, Cnwch-coch, Carmel *W*
O.S. ref. SN 67757505
C 1844-1936 • **NLW**

LLANFIHANGEL-Y-CREUDDYN Mynydd-bach, Salem *W*
O.S. ref. SN 71877659
C 1835-1936 • **NLW**

LLANFIHANGEL YSTRAD Felin-fach, Tynygwndwn *Cong.*
O.S. ref. SN 53785514
C 1821-37 **PRO**

LLANFIHANGEL YSTRAD Cribyn *U*
O.S. ref. SN 52275104
C 1824-88 **NLW** B 1794, 1818, 1842-94 **NLW**

LLANGEITHO Pen-uwch *CM*
O.S. ref. SN 59796225
M 1935-64, 1965-9, 1972 **NLW**

LLANGRANNOG Pentre-gât, Capel Ffynnon *CM*
O.S. ref. SN 35385195
C 1849-1948 **NLW**

LLANGWYRYFON Tabor *CM*
O.S. ref. SN 59737065
C 1816-37 **PRO** 1837-1968 **NLW**

LLANGYBI Ebenezer *Cong.*
O.S. ref. SN 61035323
C 1821-37 **PRO**

LLANGYBI Cilgwyn *W*
O.S. ref. SN 60755301
C 1770-1885 **NLW** B 1820-87 **NLW**

LLANGYNFELYN   Tre Taliesin, Rehoboth   *CM*
O.S. ref.   SN 65769143
C 1812-36 **PRO**   1812-85 **NLW**

LLANGYNFELYN   Tre'r-ddôl,   Soar/Hen Gapel   *W*
O.S. ref.   SN 65959215
C 1835-1964 • **NLW**

LLANILAR   Carmel   *CM*
O.S. ref.   SN 62377502
C 1814-37 **PRO**   1814-90 **NLW**

LLANLLWCHAEARN   Cross Inn, Penuel   *CM*
O.S. ref.   SN 39015731
C 1875-1971 **NLW**

LLANLLWCHAEARN   Penrhiwgaled   *Cong.*
O.S. ref.   SN 39885638
C 1818-37 **PRO**

LLANNARTH   Pen-cae   *Cong.*
O.S. ref.   SN 43115666
C 1841-74 **NLW**   M 1854-64 **NLW**   B 1839-69 **NLW**

LLANNARTH   Capel Ficer   *W*
O.S. ref.   SN 45235640
C 1839-1973 • **NLW**

LLANRHYSTUD ANHUNIOG   Rhiw-bwys   *CM*
O.S. ref.   SN 54626923
C 1812-37 **PRO**

LLANSANFFRAID   Llan-non   *CM*
O.S. ref.   SN 51316683
C 1815-37 **PRO**

LLANYCHAEARN   Blaen-plwyf   *CM*
O.S. ref.   SN 57617550
C 1808-37 **PRO**   1808-77 **NLW**

LLEDROD/LLANFIHANGEL LLEDROD   Bronnant   *CM*
O.S. ref.   SN 64086767
C 1836-7 **PRO**

LLEDROD/LLANFIHANGEL LLEDROD   Rhyd-lwyd   *CM*
O.S. ref.   SN 64587085
C 1819-37 **PRO**

LLEDROD/LLANFIHANGEL LLEDROD   Swyddffynnon   *CM*
O.S. ref.   SN 69296634
C 1823-36 **PRO**

MELINDWR Goginan, Dyffryn   *CM*
O.S. ref. SN 69088127
C 1843-93 **NLW**   B 1849-55 **NLW**

MELINDWR   Pen-llwyn   *CM*
O.S. ref. SN 65318034
C 1811-37 **PRO**   1815-57 **NLW**   B 1895-1914 **NLW**

MELINDWR   Cwmbrwyno, Horeb   *W*
O.S. ref. SN 70858071
C 1859-1936 • **NLW**

MWNT   Blaen-cefn   *CM*
O.S. ref. SN 20755035
C 1811-37 **PRO**

*NEW QUAY/CEINEWYDD   Tabernacle   *CM*
O.S. ref. SN 38955983
C 1815-37 **PRO**

PARSEL CANOL   Capel Madog   *CM*
O.S. ref. SN 65828228
C 1857-1957 **NLW**   B 1874-1987 **NLW**

PARSEL ISAF-YN-DRE Llanbadarn Fawr, Saron   *CM*
O.S. ref. SN 59918078
C 1832-1973 **NLW**   M 1848-65, 1971 **NLW**

PARSEL ISAF-YN-DRE Llanbadarn Fawr, Soar   *Cong.*
O.S. ref. SN 60068104
C 1813-37 **PRO**   1815-1971,1973-8 **NLW**

PENBRYN   Penmorfa   *CM*
O.S. ref. SN 30485218
C 1812-37 **PRO**

PENBRYN   Glynarthen   *Cong.*
O.S. ref. SN 31095855
C 1814-37 **PRO**   1836-1930 **NLW**

TIRYMYNACH Bont-goch, Ebenezer   *W*
O.S. ref. SN 68328620
C 1836-1964 • **NLW**   B 1882-1931 **NLW**

TREFEURIG Penrhyn-coch, Horeb   *Bap.*
O.S. ref. SN 65058415
M 1925-62 **CER RO**

TREFEURIG Cwmerfyn, Bethlehem   *CM*
O.S. ref. SN 69768289
C 1872-1966 **NLW**   M 1939-55 **NLW**   B 1873-1958 **NLW**

TREFEURIG Coedgruffudd, Salem   *Cong.*
O.S. ref. SN 66898440
C 1834 **PRO**

TROED-YR-AUR Brongest, Salem   *CM*
O.S. ref. SN 32404502
C 1820-37 **PRO**

TROED-YR-AUR Rhydlewis, Twr-gwyn   *CM*
O.S. ref. SN 35164767
C 1808-37 **PRO**

TROED-YR-AUR   Hawen   *Cong.*
O.S. ref. SN 34644680
C 1814-37 **PRO**   1878-88 **NLW**

YSBYTY YSTWYTH   Maes-glas   *CM*
O.S. ref. SN 73187130
C 1821-37 **PRO**

YSBYTY YSTWYTH   Pontrhydygroes, Bethel   *W*
O.S. ref. SN 73977245
C 1835-1936 • **NLW**

YSGUBOR-Y-COED Eglwys-fach, Y Graig   *CM*
O.S. ref. SN 68529526
C 1812-37 **PRO**   1812-79 **NLW**

YSGUBOR-Y-COED Eglwys-fach, Ebenezer   *W*
O.S. ref. SN 68769572
C 1808-85,1895-7 • **NLW**

BRYCHEINIOG/BRECKNOCKSHIRE

ABERHONDDU/BRECON   Watergate   *Bap.*
O.S. ref. SO 04332867
C 1806-37 **PRO**   B 1808,1825 **PRO**

ABERHONDDU/BRECON   Bethel   *CM*
O.S. ref. SO 04572863
C 1849-56 **NLW**

ABERHONDDU/BRECON   Struet   *CM*
O.S. ref. SO 04522889
C 1810-37 **PRO**   1849-56 **NLW**

ABERHONDDU/BRECON   Glamorgan Street   *Cong.*
O.S. ref. SO 04502848
C 1849-1915 **NLW**   M 1815-1914 **NLW**   B 1850-1915 **NLW**

ABERHONDDU/BRECON   Plough   *Cong.*
O.S. ref. SO 04642850
C 1795, 1807-37 **PRO**   B 1820-2 **PRO**

ABERHONDDU/BRECON   Lion Street   *W*
O.S. ref. SO 04502867
M 1920-65 **NLW**

*BRECON/ABERHONDDU   gweler uchod/see above

BRYN-MAWR Worcester Street, Libanus   *CM*
O.S. ref. SO 18871178
M 1967-70, 1973-4 **NLW**

BRYN-MAWR Alma Street   *W*
O.S. ref. SO 19181180
C 1912-69 **GWENT RO**

BRYN-MAWR Bailey Street   *W*
O.S. ref. SO 19191180
C 1843-50, 1852-82 • **NLW**

BRYN-MAWR Orchard Street   *W*
O.S. ref. SO 18911184
C 1940-70 **GWENT RO**

*BUILTH/LLANFAIR-YM-MUALLT   Alpha   *CM*
O.S. ref. SO 04055106
C 1811-37 **PRO**

*BUILTH/LLANFAIR-YM-MUALLT   Horeb   *Cong.*
O.S. ref. SO 03895109
C 1805-37 **PRO**

*BUILTH/LLANFAIR-YM-MUALLT
O.S. ref. SO 03845102
C 1837-1917 • **PSRO**

*CRICKADARN/CRUCADARN   gweler isod/see below

CRUCADARN/CRICKADARN   Hebron   *Cong.*
O.S. ref. SO 09034222
C 1824-37 **PRO**

CRICKHOWELL/CRUCYWEL   gweler isod/see below

CRUCYWEL/CRICKHOWELL   Tanycastell   *CM*
O.S. ref. SO 21721818
C 1813-36 **PRO**

CRUCYWEL/CRICKHOWELL   *W*
O.S. ref. SO 21621832
C 1837 • **W GLAM RO**   1843-50, 1852-82 • **NLW**

FAENOR,Y/VAYNOR   Cefncoedycymer, Carmel   *Bap.*
O.S. ref. SO 03440773
B 1849-1940 **MTL**

FAENOR,Y/VAYNOR   Cefncoedycymer, Moriah   *CM*
O.S. ref. SO 03590759
C 1804 **NLW** 1829-37 **PRO**

FAENOR,Y/VAYNOR   Cefncoedycymer, Ebenezer   *Cong.*
O.S. ref. SO 03360769
B 1840-1917 **MTL**

FAENOR,Y/VAYNOR Taf-fechan, Bethlehem   *Cong.*
O.S. ref. SO 05481340
C 1828-37 **PRO**   B 1836-1911 **NLW**

FAENOR,Y/VAYNOR Cefncoedycymer, Hen Dŷ Cwrdd   *U*
O.S. ref. SO 03200781
B 1891-1966 **GLAM RO**

FAENOR,Y/VAYNOR Cefncoedycymer, Aubrey Memorial   *W*
O.S. ref. SO 03260776
C 1837-1906 • **NLW**   1906-33 • **W GLAM RO**

GELLI GANDRYLL,Y/HAY   Oxford Road   *W*
O.S. ref. SO 23084229
M 1899-1967,1977 **NLW**

GLYN Libanus   *Cong.*
O.S. ref. SN 99352555
C 1827-37 **PRO**

GWENDDWR   Bailihalog   *Cong.*
O.S. ref. SO 04814349
C 1824-37 **PRO**

*HAY/Y GELLI GANDRYLL   Oxford Road   *W*
O.S. ref. SO 23084229
M 1899-1967,1977 **NLW**

IS-CLYDACH/YSCLYDACH Pentre'r-felin, Soar   *CM*
O.S. ref. SN 92043037
C 1823-36 **PRO**   B 1824-37 **PRO**

LLANAFAN FAWR   Troedrhiwdalar   *Cong.*
O.S. ref. SN 95275328
C 1804-37 **PRO**   B 1850-85 **NLW**

LLANDEFALLE gweler/see LLANDYFALLE

LLANDEILO'R-FÂN   Babell   *CM*
O.S. ref. SN 90823687
C 1822-34 **PRO**

LLANDYFALLE/LLANDEFALLE Brechfa   *Cong.*
O.S. ref. SO 11773773
C 1801-37 **PRO**   B 1826-8 **PRO**

LLANELLI/LLANELLY   Siloam   *Cong.*
O.S. ref. SO 22471284
C 1829-37 **PRO**

LLANELLI/LLANELLY   *W*
O.S. ref. SO 22511293
C 1843-50, 1852-82 • **NLW**

LLANFAIR-YM-MUALLT/BUILTH   Alpha   *CM*
O.S. ref. SO 04055106
C 1811-37 **PRO**

LLANFAIR-YM-MUALLT/BUILTH   Horeb   *Cong.*
O.S. ref. SO 03895109
C 1805-37 **PRO**

LLANFAIR-YM-MUALLT/BUILTH   W
O.S. ref. SO 03845102
C 1837-1917 • **PSRO**

LLANFEUGAN/LLANFIGAN   Aber   *Cong.*
O.S. ref. SO 10322131
C 1792-1837 **PRO**

LLANFIHANGEL FECHAN   Lower Chapel, Bethesda   *CM*
O.S. ref. SO 02843574
C 1818-36 **PRO**

LLANFIHANGEL NANT BRÂN   Bethel   *CM*
O.S. ref. SN 94303429
C 1812-37 **PRO**

LLAN-GORS/LLANGORSE   Bethel/Upper Chapel   *CM*
O.S. ref. SO 13612758
C 1811-36 **PRO**

LLANGYNIDR   *W*
O.S. ref. SO 15291924
C 1837 • **W GLAM RO**   1843-50, 1852-82 • **NLW**

LLANIGON   Capel-y-ffin/Olchon   *Bap.*
O.S. ref. SO 25553158
C 1738-1920 **NLW**   B 1742-1848 **NLW**

LLANWRTHWL   Penuel   *Cong.*
O.S. ref. SN 97696348
C 1834-7 **PRO**

LLANWRTYD   Bethesda   *CM*
O.S. ref. SN 87834668
C 1810-37 **PRO**

LLANWRTYD   Gelynos   *Cong.*
O.S. ref. SN 87124714
C 1800-32 **NLW**   1800-37 **PRO**

LLYWEL   Halfway, Bethesda   *Cong.*
O.S. ref. SN 83073288
C 1920 **NLW**   B 1920 **NLW**

MAES-CAR Defynnog, Trinity   *CM*
O.S. ref. SN 92782765
C 1790-1837 **PRO**

MERTHYR CYNOG   Siloah   *CM*
O.S. ref. SN 98863808
C 1824-36 **PRO**

MERTHYR CYNOG   Ebenezer   *Cong.*
O.S. ref. SN 99824172
C 1802-37 **PRO**

MODRYDD   Pontesyllt   *Bap.*
O.S. ref. SO 01012696
C 1806-37 **PRO**   B 1808,1825 **PRO**

PENBUALLT   Gorwydd, Gosen   *CM*
O.S. ref. SN 90444562
C 1811-37 **PRO**

PENBUALLT   Nazareth   *CM*
O.S. ref. SN 93584717
C 1811-36 **PRO**

SENNI/SENNY   Brychgoed   *Cong.*
O.S. ref. SN 91932467
C 1775-1837 **PRO**

TALACH-DDU   Maesyberllan   *Bap.*
O.S. ref. SO 08603398
C 1804-37 **PRO**

TALGARTH   Bethlehem   *CM*
O.S. ref. SO 15573384
C 1801-37 **PRO**

TALGARTH   Bethania   *Cong.*
O.S. ref. SO 15393356
C 1813-37 **PRO**

TALGARTH   Tredwstan/Tredustan   *Cong.*
O.S. ref. SO 13573248
C 1700-1837 **PRO**   B 1708-1837 **PRO**

TRAEAN-GLAS/TRAIANGLAS Cwm Wysg, Saron   *Cong.*
O.S. ref. SN 85092842
C 1814-37 **PRO**

TRAEAN-MAWR/TRAIANMAWR Llywel, Tynewydd   *CM*
O.S. ref. SN 88072907
C 1813-37 **PRO**

*VAYNOR/Y FAENOR Cefncoedycymer, Carmel   *Bap.*
O.S. ref. SO 03440773
B 1849-1940 **MTL**

*VAYNOR/Y FAENOR   Cefncoedycymer, Moriah   *CM*
O.S. ref. SO 03590759
C 1804 **NLW**   1829-37 **PRO**

*VAYNOR/Y FAENOR Cefncoedycymer, Ebenezer   *Cong.*
O.S. ref. SO 03360769
B 1840-1917 **MTL**

*VAYNOR/Y FAENOR Taf-fechan, Bethlehem   *Cong.*
O.S. ref. SO 05481340
C 1828-37 **PRO**   B 1836-1911 **NLW**

*VAYNOR/Y FAENOR Cefncoedycymer, Hen Dŷ Cwrdd   *U*
O.S. ref. SO 03200781
B 1891-1966 **GLAM RO**

*VAYNOR/Y FAENOR Cefncoedycymer, Aubrey Memorial   *W*
O.S. ref. SO 03260776
C 1837-1906 • **NLW**   1906-33 • **W GLAM RO**

*YSCLYDACH/IS-CLYDACH Pentre'r-felin, Soar   *CM*
O.S. ref. SN 92043037
C 1823-36 **PRO**   B 1824-37 **PRO**

YSTRADGYNLAIS ISAF/LOWER Cwmgïedd, Yorath   *CM*
O.S. ref. SN 78751135
C 1813-37 **PRO**

YSTRADGYNLAIS ISAF/LOWER Pen-rhos, Moriah   *CM*
O.S. ref. SN 79691112
C 1946-67 **NLW**   M 1946-64 **NLW**   B 1949-67 **NLW**

CAERFYRDDIN/CARMARTHENSHIRE

ABERGWILI   Nantgaredig   *CM*
O.S. ref. SN 49352177
C 1810-37 **PRO**

ABERGWILI   Pant-gwyn/Salem   *CM*
O.S. ref. SN 46552258
C 1814-37 **PRO**

ABERGWILI   Pant-teg   *Cong.*
O.S. ref. SN 48322517
C 1690-1813 **NLW**   1814-36 **PRO**   1886-1957 **CARM RO**   B 1690-1813   **NLW**
1886-1957 **CARM RO**

ABERGWILI   Peniel   *Cong.*
O.S. ref. SN 43612415
C 1814-37 **PRO**

ABER-NANT   Bwlchnewydd   *Cong.*
O.S. ref. SN 36862491
C 1805-57 **PRO**   B 1855-7 **PRO**

*AMMANFORD/RHYDAMAN   Hen Gapel/Sion   *CM*
O.S. ref. SN 63081136
C 1812-37 **PRO**

*AMMANFORD/RHYDAMAN Tir-y-dail, Cross Inn   *W*
O.S. ref. SN 62651285
C 1814-63 • **NLW** 1863-1975 • **W GLAM RO**

CAERFYRDDIN/CARMARTHEN   Penuel   *Bap.*
O.S. ref. SN 41752043
C 1793-1837 **PRO**   1797-1837 **NLW**

CAERFYRDDIN/CARMARTHEN   Tabernacle   *Bap.*
O.S. ref. SN 41182045
C 1785-1837 **PRO**   1789-1828,1833-6 **NLW**   M 1838-68 **NLW**   B 1790-1837 **PRO**
1835-7, 1841-67 **NLW**

CAERFYRDDIN/CARMARTHEN   Heol-y-dŵr   *CM*
O.S. ref. SN 40892014
C 1798-1837 **PRO**   M 1941 **NLW**   B 1795-1833 **UWB** 1831-6 **PRO**

CAERFYRDDIN/CARMARTHEN Heol-y-prior, Bethania   *CM*
O.S. ref. SN 41632035
M 1905-71 **CARM RO**

CAERFYRDDIN/CARMARTHEN Ffynnon-ddrain, Elim　　*Cong.*
O.S. ref. SN 40312166
C 1855-7 **PRO**　B 1855-7 **PRO**

CAERFYRDDIN/CARMARTHEN Heol Awst　　*Cong.*
O.S. ref. SN 40912003
C 1792-1802 **NLW**　1792-1837 **PRO**　1792-1907 **CARM RO**　B 1790-1810 **NLW**

CAERFYRDDIN/CARMARTHEN Lammas Street/Heol Awst, English　　*Cong.*
O.S. ref. SN 40822011
C 1864-1961 **CARM RO**　M 1864-71 **CARM RO**　B 1881-7 **CARM RO**

CAERFYRDDIN/CARMARTHEN　　*Q*
O.S. ref. SN 40962013
C 1808 **GLAM RO**　B 1781-90 **GLAM RO**

CAERFYRDDIN/CARMARTHEN Ebenezer　　*W*
O.S. ref. SN 41182026
C 1811-58 **PRO**　B 1823,1850-70,1910 **NLW** 1863-1964 • **W GLAM RO**

CAERFYRDDIN/CARMARTHEN English　　*W*
O.S. ref. SN 41212014
C 1808-37 **PRO**　M 1927-77 **CARM RO**

*CARMARTHEN/CAERFYRDDIN gweler uchod/see above

CASTELLNEWYDD EMLYN/NEWCASTLE EMLYN Bethel　　*CM*
O.S. ref. SN 30814071
C 1810-37 **PRO**

CASTELLNEWYDD EMLYN/NEWCASTLE EMLYN Ebenezer　　*Cong.*
O.S. ref. SN 30924035
M 1981-6 **CARM RO**

CENARTH Pontgarreg　　*CM*
O.S. ref. SN 27553764
C 1812-36 **PRO**

CIL-Y-CWM Bwlch-y-rhiw　　*Bap.*
O.S. ref. SN 72974639
C 1760-1857 **NLW**　B 1760-1857 **NLW**

CIL-Y-CWM Rhandir-mwyn, Salem　　*CM*
O.S. ref. SN 77744395
C 1812-37 **PRO**　1857-70 **NLW**

CIL-Y-CWM Tynewydd/Soar　　*CM*
O.S. ref. SN 76214017
C 1812-37 **PRO**

CILYMAENLLWYD Login, Calfaria   *Bap.*
O.S. ref. SN 16502338
M 1956-72 **CARM RO**

CILYMAENLLWYD Efail-wen, Nebo   *Cong.*
O.S. ref. SN 13952569
C 1844-85 **NLW**   M 1853-84 **NLW**   B 1864-1901 **NLW**

*CONWIL CAIO/CYNWYL GAEO Bethel   *Bap.*
O.S. ref. SN 66664522
C 1760-1857 **NLW**   B 1760-1857 **NLW**

*CONWIL CAIO/CYNWYL GAEO Salem   *Bap.*
O.S. ref. SN 64964227
C 1760-1857 **NLW**   B 1760-1857 **NLW**

*CONWIL CAIO/CYNWYL GAEO Caeo/Tynewydd   *CM*
O.S. ref. SN 67363975
C 1817-37 **PRO**

*CONWIL CAIO/CYNWYL GAEO Cwrtycadno   *CM*
O.S. ref. SN 69224421
C 1811-36 **PRO**

*CONWIL ELFED/CYNWYL ELFED Ffynnonhenri   *Bap.*
O.S. ref. SN 39503010
C 1790-1842 **NLW**   B 1808-41 **NLW**

*CONWIL ELFED/CYNWYL ELFED Bethel   *CM*
O.S. ref. SN 37292765
C 1806-37 **PRO**   B 1833-7 **PRO**

CYDWELI/KIDWELLY Morfa   *CM*
O.S. ref. SN 40650675
C 1859-99,1905-73 **CARM RO**

CYDWELI/KIDWELLY Mynydd-y-garreg, Horeb   *CM*
O.S. ref. SN 42900859
C 1864-93 **NLW**   B 1847-96,1913, 1961 **NLW**

CYDWELI/KIDWELLY Capel Sul   *Cong.*
O.S. ref. SN 40690683
C 1788-1918 **CARM RO**   B 1838-1916 **CARM RO**

CYFFIG Hendy-gwyn/Whitland, Bethania   *CM*
O.S. ref. SN 19951607
C 1931-7 **NLW**   M 1935-40 **NLW**   B 1933-42 **NLW**

CYNWYL ELFED/CONWIL ELFED   Ffynnonhenri   *Bap.*
O.S. ref. SN 39503010
C 1790-1842 **NLW**   B 1808-41 **NLW**

CYNWYL ELFED/CONWIL ELFED   Bethel   *CM*
O.S. ref. SN 37292765
C 1806-37 **PRO**   B 1833-7 **PRO**

CYNWYL GAEO/CONWIL CAIO   Bethel   *Bap.*
O.S. ref. SN 66664522
C 1760-1857 **NLW**   B 1760-1857 **NLW**

CYNWYL GAEO/CONWIL CAIO   Salem   *Bap.*
O.S. ref. SN 64964227
C 1760-1857 **NLW**   B 1760-1857 **NLW**

CYNWYL GAEO/CONWIL CAIO   Caeo/Tynewydd   *CM*
O.S. ref. SN 67363975
C 1817-37 **PRO**

CYNWYL GAEO/CONWIL CAEO   Cwrtycadno   *CM*
O.S. ref. SN 69224421
C 1811-36 **PRO**

EGLWYS FAIR A CHURIG   Rhyd-y-parc   *U*
O.S. ref. SN 21732788
B 1818-1907 **NLW**

EGLWYS GYMYN/EGLWYSCUMMIN   Red Roses   *CM*
O.S. ref. SN 20481177
C 1939, 1941 **NLW**   B 1932, 1934 **NLW**

HENLLAN AMGOED   Henllan   *Cong.*
O.S. ref. SN 17942007
C 1740-1837 **PRO**   B 1785-1826 **PRO**

*KIDWELLY/CYDWELI   Morfa   *CM*
O.S. ref. SN 40650675
C 1859-99, 1905-73 **CARM RO**

*KIDWELLY/CYDWELI Mynydd-y-garreg, Horeb   *CM*
O.S. ref. SN 42900859
C 1864-93 **NLW**   B 1847-96, 1913, 1961 **NLW**

*KIDWELLY/CYDWELI   Capel Sul   *Cong.*
O.S. ref. SN 40690683
C 1788-1918 **CARM RO**   B 1838-1916 **CARM RO**

LACHARN/LAUGHARNE Cliff Street, Old Chapel/Providence/Philadelphia *Cong.*
O.S. ref. SN 30341085
C 1825-37 **PRO**

*LAUGHARNE/LACHARN gweler uchod/see above

LLANARTHNE/LLANARTHNEY Capel y Dolau *CM*
O.S. ref. SN 53311992
C 1815-37 **PRO** M 1982 **NLW**

LLANARTHNE/LLANARTHNEY Llanlluan *CM*
O.S. ref. SN 55681588
C 1818-37 **PRO**

LLANBOIDY Cefn-pant *Cong.*
O.S. ref. SN 19152533
M 1982-6 **CARM RO**

LLANBOIDY Trinity *Cong.*
O.S. ref. SN 21652317
C 1748-1837 **PRO**

LLAN-CRWYS/LLAN-Y-CRWYS Ffaldybrenin *Cong.*
O.S. ref. SN 63714459
C 1765-1837 **PRO** 1818-57 **CARM RO** 1818-57,1859-1912,1934-76 **NLW**
B 1838-44 **CARM RO** 1838-44,1859-1913 **NLW**

LLANDDAROG Capel Newydd/Sion *CM*
O.S. ref. SN 50141675
C 1815-36 **PRO**

LLANDDAROG Pontyberem, Zoar/Soar *CM*
O.S. ref. SN 50121137
C 1811-37 **PRO**

LLANDDEUSANT Twynllannan *CM*
O.S. ref. SN 75552447
C 1816-37 **PRO**

LLANDDOWROR Tabernacle *CM*
O.S. ref. SN 25531447
C 1807-37 **PRO**

*LLANDEFEILOG/LLANDYFAELOG Pen-y-graig *Cong.*
O.S. ref. SN 41301664
C 1819-65 **NLW**

LLANDEILO (TREFOL)/LLANDILO (URBAN) New Road, Salem *CM*
O.S. ref. SN 62872237
C 1814-37 **PRO** M 1984-6 **NLW**

LLANDEILO (TREFOL)/LLANDILO (URBAN) St Paul's/Ebenezer   *W*
O.S. ref. SN 63192249
C 1810-37 **PRO**   1814-63 • **NLW**   1863-1975 • **W GLAM RO**

LLANDEILO FAWR (GWLEDIG)/LLANDILO FAWR (RURAL) Glanaman,
Tabernacle   *CM*
O.S. ref. SN 67081378
B 1898-1982 **CARM RO**

LLANDEILO FAWR (GWLEDIG)/LLANDILO FAWR (RURAL)   Capel Isaac/
Mynydd-bach   *Cong.*
O.S. ref. SN 58252691
C 1779-1837 **PRO**   B 1851-72 **NLW**

LLANDEILO FAWR (GWLEDIG)/LLANDILO FAWR (RURAL) Cwmaman, Yr Hen
Fethel/Bethel   *Cong.*
O.S. ref. SN 68151440
C 1751-1835 **PRO**   B 1836-71 **NLW**

LLANDEILO FAWR (GWLEDIG)/LLANDILO FAWR (RURAL) Maenordeilo,
Hermon/Cefnglasfryn   *Cong.*
O.S. ref. SN 67132817
C 1779-1837 **PRO**

LLANDEILO FAWR (GWLEDIG)/LLANDILO FAWR (RURAL) Bryn-y-maen/Salem
Q
O.S. ref. SN 62902620
B 1769-90 **GLAM RO**

LLANDEILO FAWR (GWLEDIG)/LLANDILO FAWR (RURAL) Tre-gib,
Llwynyronnen   *W*
O.S. ref. SN 66131954
C 1814-63 • **NLW**   1863-1975 • **W GLAM RO**

LLANDINGAD/LLANDINGAT Llanymddyfri/Llandovery, Tabernacle   *CM*
O.S. ref. SN 76883444
C 1818-37 **PRO**

LLANDINGAD/LLANDINGAT Llanymddyfri/Llandovery, Queen Street, Salem
Cong.
O.S. ref. SN 76863448
C 1804-37 **PRO**

LLANDINGAD/LLANDINGAT Llanymddyfri/Llandovery   *Q*
O.S. ref. SN 76223445
B 1781-90 **GLAM RO**

LLANDINGAD/LLANDINGAT Llanymddyfri/Llandovery, Ebenezer   *W*
O.S. ref. SN 76803431
C 1814-63 • **NLW**   1863-87 • **W GLAM RO**

*LLANDISSILIO EAST/LLANDYSILIO Rhydwilym *Bap.*
O.S. ref. SN 11422489
C 1667-1823 **NLW** B 1667-1823 **NLW**

LLANDYBÏE Capel Hendre *CM*
O.S. ref. SN 59411121
C 1812-37 **PRO**

LLANDYBÏE Gosen *CM*
O.S. ref. SN 61671527
C 1861-80,1906-57 **NLW**

LLANDYBÏE Waun-llan *W*
O.S. ref. SN 61781542
C 1814-63 • **NLW** 1863-1971 • **W GLAM RO**

LLANDYFAELOG/LLANDEFEILOG Pen-y-graig *Cong.*
O.S. ref. SN 41301664
C 1819-65 **NLW**

LLANDYSILIO/LLANDISSILIO EAST Rhydwilym *Bap.*
O.S. ref. SN 11422489
C 1667-1823 **NLW** B 1667-1823 **NLW**

LLANEDI/LLANEDY Sardis *Bap.*
O.S. ref. SN 58200608
C 1759-1820 **PRO**

LLANEDI/LLANEDY Ebenezer *CM*
O.S. ref. SN 58480788
C 1812-37 **PRO**

LLANEDI/LLANEDY Tynewydd *Cong.*
O.S. ref. SN 57220345
C 1734-1837 **PRO** B1776, 1785-95 **PRO**

LLANEGWAD Pontynys-wen *CM*
O.S. ref. SN 52992501
C 1820-37 **PRO**

LLANEGWAD Mynydd-bach, Zion/Cwm-brân *W*
O.S. ref. SN 55162379
C 1814-63 • **NLW** 1863-1969 • **W GLAM RO**

LLANELLI/LLANELLY Zion/Sion *Bap.*
O.S. ref. SN 50930052
C 1759-1820 **PRO**

LLANELLI/LLANELLY   Capel Newydd   *CM*
O.S. ref. SN 50800090
C 1819-37 **PRO**

LLANELLI/LLANELLLY   Siloh   *CM*
O.S. ref. SS 50509988
C 1875-1969 **NLW**   B 1934-90 **NLW**

LLANELLI/LLANELLY   Capel Als   *Cong.*
O.S. ref. SN 51120034
C 1808-37 **PRO**   1837-1904 **CARM RO**   1837-1904 **NLW**   M 1837-70 **CARM RO**
1837-70 **NLW**   B 1831-7 **PRO**   1842-51 **CARM RO**   1842-51 **NLW**

LLANELLI/LLANELLY   Docks/Capel y Doc   *Cong.*
O.S. ref. SS 51249889
M 1963-76 **NLW**

LLANELLI/LLANELLY   Siloah   *Cong.*
O.S. ref. SS 50469933
C 1890-1909 **CARM RO**

LLANELLI/LLANELLY   Hall Street/Sea Side   *W*
O.S. ref. SN 50520062
C 1830-8 **PRO**

LLANELLI (GWLEDIG)/LLANELLY (RURAL) Felin-foel, Adulam   *Bap.*
O.S. ref. SN 51700222
C 1759-1820 **PRO**   1767-1877 **CARM RO**   1792-1911 **NLW**   M 1767-1877 **CARM
RO**   B 1767-1877 **CARM RO**   1794-1907 **NLW**

LLANELLI (GWLEDIG)/LLANELLY (RURAL) Llwynhendy, Soar   *Bap.*
O.S. ref. SS 54109966
C 1759-1820 **PRO**

LLANELLI (GWLEDIG)/LLANELLY (RURAL) Pump-hewl/Five Roads, Horeb   *Bap.*
O.S. ref. SN 49840564
C 1759-1820 **PRO**

LLANFAIR-AR-Y-BRYN   Cefnarthen   *Cong.*
O.S. ref. SN 83943506
C 1730-70, 1919-20 **NLW**   1731-55 **CARM RO**   B 1730-74 **NLW**   1731-55 **CARM RO**

LLANFAIR-AR-Y-BRYN   Pentre-tŷ-gwyn   *Cong.*
O.S. ref. SN 81693539
1769-1837 **PRO**   M 1733-51, 1919 **NLW**   B 1734-74 **NLW**

LLANFIHANGEL ABERCYWYN/LLANFIHANGEL ABERCOWIN   Bancyfelin   *CM*
O.S. ref. SN 32321798
C 1811-37 **PRO**   B 1938-42 **NLW**

LLANFIHANGEL-AR-ARTH/LLANFIHANGEL IORATH Llandysul, Pen-y-bont *Bap.*
O.S. ref. SN 41344018
C 1801-54 **NLW**

LLANFIHANGEL-AR-ARTH/LLANFIHANGEL IORATH New Inn, Salem *CM*
O.S. ref. SN 47233676
C 1798-1836 **PRO**

LLANFIHANGEL-AR-ARTH/LLANFIHANGEL IORATH Pencader, Tabernacl *Cong.*
O.S. ref. SN 44543613
C 1825-37 **PRO**

LLANFIHANGEL RHOS-Y-CORN Gwernogle *Cong.*
O.S. ref. SN 52973402
C 1813-21 **NLW**

LLANGADOG Gwynfe, Jerusalem *Cong.*
O.S. ref. SN 72642184
C 1788-1837 **PRO**

LLANGADOG Ebenezer *W*
O.S. ref. SN 70672824
C 1814-63 • **NLW** 1863-85 • **W GLAM RO**

LLAN-GAN (DWYRAIN)/LLAN-GAN (EAST) Hendy-gwyn/Whitland, Nazareth
Bap.
O.S. ref. SN 20041661
M 1934 **NLW**

LLANGATHEN Dryslwyn, Cross Inn *CM*
O.S. ref. SN 55342051
C 1818-37 **PRO**

LLANGELER Saron *Cong.*
O.S. ref. SN 37353824
C 1802-34,1850 **NLW**

*LLANGENDEIRN/LLANGYNDEYRN Salem *CM*
O.S. ref. SN 44810935
C 1815-37 **PRO**

*LLANGENDEIRN/LLANGYNDEYRN Pontyberem, Caersalem *Cong.*
O.S. ref. SN 49971136
C 1919-31 **NLW** B 1919-31 **NLW**

LLANGENNECH Salem *Bap.*
O.S. ref. SN 55490228
M 1912-49 **CARM RO**

*LLANGINNING/LLANGYNIN Rhydyceisiaid *Cong.*
O.S. ref. SN 24332099
C 1785-1837 **PRO**

LLANGLYDWEN Hebron *Cong.*
O.S. ref. SN 18112771
C 1818-37 **PEMB RO** 1818-37 **PRO** 1849-85 **NLW** M 1849-85 **NLW** B 1850-98 **NLW**

*LLANGUNNOCK/LLANGYNOG Ebenezer *Bap.*
O.S. ref. SN 33981628
C 1778-1837 **PRO**

*LLANGUNNOCK/LLANGYNOG Bethesda *Cong.*
O.S. ref. SN 36271564
C 1822 **NLW**

*LLANGUNNOR/LLANGYNNWR Philadelphia *Cong.*
O.S. ref. SN 45571822
C 1819-65 **NLW**

LLANGYNDEYRN/LLANGENDEIRN Salem *CM*
O.S. ref. SN 44810935
C 1815-37 **PRO**

LLANGYNDEYRN/LLANGENDEIRN Pontyberem, Caersalem *Cong.*
O.S. ref. SN 49971136
C 1919-31 **NLW** B 1919-31 **NLW**

LLANGYNIN/LLANGINNING Rhydyceisiaid *Cong.*
O.S. ref. SN 24332099
C 1785-1837 **PRO**

LLANGYNNWR/LLANGUNNOR Philadelphia *Cong.*
O.S. ref. SN 45571822
C 1819-65 **NLW**

LLANGYNOG/LLANGUNNOCK Ebenezer *Bap.*
O.S. ref. SN 33981628
C 1778-1837 **PRO**

LLANGYNOG/LLANGUNNOCK Bethesda *Cong.*
O.S. ref. SN 36271564
C 1822 **NLW**

LLANISMEL/ST ISHMAEL Glanyfferi/Ferryside, Salem *Bap.*
O.S. ref. SN 36751054
C 1797-1846 **NLW**

LLANISMEL/ST ISHMAEL Llan-saint, Seion/Sion   *CM*
O.S. ref. SN 38460816
C 1815-29 **NLW**   1815-29 **PRO**   B 1912-84 **CARM RO**

LLANLLAWDDOG Rhydargaeau, Bethel   *CM*
O.S. ref. SN 43842623
C 1812-37 **PRO**

LLANNEWYDD/NEWCHURCH Cwmdwyfran   *CM*
O.S. ref. SN 41132485
C 1813-36 **PRO**

LLAN-NON Hermon   *Bap.*
O.S. ref. SN 53810770
C 1759-1820 **PRO**   1850-1925 **NLW**   B 1850-1925 **NLW**

LLAN-NON Tymbl Uchaf, Bethania   *Cong.*
O.S. ref. SN 54931202
C 1800-37,1914 **NLW**   M 1914 **NLW**   B 1848-1926 **NLW**

LLANPUMSAINT Bethel   *CM*
O.S. ref. SN 41872912
C 1810-37 **PRO**   1810-73 **NLW**

LLANSAWEL Bethel   *CM*
O.S. ref. SN 41882911
C 1818-36 **PRO**

LLANSTEFFAN/LLANSTEPHAN Moriah   *CM*
O.S. ref. SN 35061132
C 1816-36 **PRO**

LLANSTEFFAN/LLANSTEPHAN Llan-y-bri, Capel Newydd   *Cong.*
O.S. ref. SN 33911282
C 1814-37 **PRO**

LLANWINIO Cwmfelinmynach, Ramoth   *Bap.*
O.S. ref. SN 22942480
C 1785-1828 **PRO**   B 1838-48 **PRO**

LLANWINIO Cwm-bach, Graig   *CM*
O.S. ref. SN 25372588
C 1799-1837 **PRO**

LLANWRDA Tabor   *Cong.*
O.S. ref. SN 71953265
C 1810-37 **PRO**

LLANYBYDDER   Aberduar   *Bap.*
O.S. ref. SN 52604385
C 1760-1857 **NLW**   B 1760-1857 **NLW**

LLANYBYDDER   Abergorlech   *Cong.*
O.S. ref. SN 58363365
B 1849-96 **NLW**

LLANYBYDDER   Rhyd-y-bont   *Cong.*
O.S. ref. SN 53374366
C 1775-1837 **PRO**

*LLAN-Y-CRWYS/LLAN-CRWYS   Ffaldybrenin   *Cong.*
O.S. ref. SN 63714459
C 1765-1837 **PRO**   1818-57 **CARM RO**   1818-57,1859-1912,1934-76 **NLW**
B 1838-44 **CARM RO**   1838-44,1859-1913 **NLW**

MYDDFAI Berllandywyll, Salem/Bethania   *CM*
O.S. ref. SN 77153019
C 1822-37 **PRO**

*NEWCASTLE EMLYN/CASTELLNEWYDD EMLYN   Bethel   *CM*
O.S. ref. SN 30814071
C 1810-37 **PRO**

*NEWCASTLE EMLYN/CASTELLNEWYDD EMLYN   Ebenezer   *Cong.*
O.S. ref. SN 30924035
M 1981-6 **CARM RO**

*NEWCHURCH/LLANNEWYDD   Cwmdwyfran   *CM*
O.S. ref. SN 41132485
C 1813-36 **PRO**

PEN-BRE/PEMBREY & BURRY PORT   Pwll, Bethlehem   *Bap.*
O.S. ref. SN 47370107
C 1759-1820 **PRO**

PEN-BRE/PEMBREY & BURRY PORT Pen-Bre/Pembrey, Bethel   *CM*
O.S. ref. SN 42960126
C 1818-37 **PRO**

PEN-BRE/PEMBREY & BURRY PORT Burry Port, Jerusalem   *Cong.*
O.S. ref. SN 44620151
C 1814-37 **PRO**

PEN-BRE/PEMBREY & BURRY PORT Pen-bre/Pembrey, Hermon   *W*
O.S. ref. SN 43130111
B 1849-1910 **W GLAM RO**

PENCARREG Parc-y-rhos, Caersalem   *Bap.*
O.S. ref. SN 57734588
C 1751-1875 **NLW**   B 1751-1875 **NLW**

PENCARREG Esgairdawe   *Cong.*
O.S. ref. SN 61134098
C 1759-1912,1934-76 **NLW**   1765-1837 **PRO**   1818-57 **CARM RO**   B 1834-44, 1859-
1913 **NLW**   1838-44 **CARM RO**

RHYDAMAN/AMMANFORD   Hen Gapel/Sion   *CM*
O.S. ref. SN 63081136
C 1812-37 **PRO**

RHYDAMAN/AMMANFORD Tir-y-dail, Cross Inn   *W*
O.S. ref. SN 62651285
C 1814-63 • **NLW**   1863-1975 • **W GLAM RO**

ST CLEARS gweler/see SANCLÊR

*ST ISHMAEL/LLANISMEL Ferryside/Glanyfferi, Salem   *Bap.*
O.S. ref. SN 36751054
C 1797-1846 **NLW**

*ST ISHMAEL/LLANISMEL Llan-saint, Seion/Sion   *CM*
O.S. ref. SN 38460816
C 1815-29 **NLW**   1815-29 **PRO**   B 1912-84 **CARM RO**

SANCLÊR/ST CLEARS Bethlehem   *Cong.*
O.S. ref. SN 26791658
C 1748-1837 **PRO**   B 1831-7 **PRO**

TALACHARN gweler/see LACHARN/LAUGHARNE

TRE-LECH A'R BETWS   Tŷ Hen   *CM*
O.S. ref. SN 30192409
C 1935 **NLW**

TRE-LECH A'R BETWS Rhydwenog, Capel y Graig   *Cong.*
O.S. ref. SN 28183033
C 1732-1837 **PRO**   B 1834-7 **PRO**

CAERNARFON/CAERNARFONSHIRE

ABER   Abergwyngregyn   *CM*
O.S. ref. SH 65577266
C 1828-33 **+ NLW**

ABERDARON   Penycaerau   *CM*
O.S. ref. SH 19992742
C 1811-36 **PRO**   1813, 1819 **+ NLW**

ABERDARON   Rhydlios   *CM*
O.S. ref. SH 18393026
C 1816 **+ NLW**   1824-36 **PRO**

ABERDARON   Uwchmynydd   *CM*
O.S. ref. SH 15532637
C 1813-35 **+ NLW**   1813-37 **PRO**

ABER-ERCH   *CM*
O.S. ref. SH 39753668
C 1813-36 **+ NLW**   1813-36 **PRO**

ABER-ERCH Y Ffôr / Fourcrosses, Ebenezer   *CM*
O.S. ref. SH 39783908
C 1808, 1816-35 **+ NLW**   1815-37 **PRO**

ABER-ERCH Y Ffôr / Fourcrosses, Salem   *Cong.*
O.S. ref. SH 39883908
C 1826-37 **PRO**

BANGOR   Hirael   *CM*
O.S. ref. SH 58647247
M 1922 **NLW**

BANGOR Penrhosgarnedd, Y Graig   *CM*
O.S. ref. SH 55317013
C 1815-19, 1826-35 **+ NLW** 1829-36 **PRO**

BANGOR   Princes Road   *CM*
O.S. ref. SH 57697231
M 1951-70 **NLW**

BANGOR   Tabernacl   *CM*
O.S. ref. SH 58357232
C 1808-37 **PRO**   1809-35 **+ NLW**   1809-1953,1961-8 **UWB**   B 1961-8 **UWB**

BANGOR   Ebenezer   *Cong.*
O.S. ref. SH 58217200
C 1790-1837 **PRO**   1837-1965 **UWB**

BEDDGELERT *CM*
O.S. ref. SH 58914821
C 1809-38 **+ NLW**

BEDDGELERT Nanmor, Peniel *CM*
O.S. ref. SH 60104603
C 1830-7 **+ NLW** 1838-1901 **GASC**

BEDDGELERT Nant Gwynant, Bethania *CM*
O.S. ref. SH 62695051
C 1809-37 **PRO** 1822-37 **+ NLW** M 1823 **PRO**

BEDDGELERT Rhyd-ddu *CM*
O.S. ref. SH 56955290
C 1827-37 **+ NLW** 1827-37 **PRO**

BETHESDA & LLANLLECHID Llanllechid, Gilfach *Bap.*
O.S. ref. SH 63087151
C 1811-18 **NLW**

BETHESDA & LLANLLECHID Bethesda, Carneddi *CM*
O.S. ref. SH 62756692
C 1813-37 **+ NLW** 1817-37 **PRO**

BETHESDA & LLANLLECHID Llanllechid, Peniel *CM*
O.S. ref. SH 62386864
C 1810-37 **+ NLW**

BETHESDA & LLANLLECHID Rachub/Yr Achub *CM*
O.S. ref. SH 62276815
C 1810-37 **PRO** 1811-13 **+ NLW**

BETHESDA & LLANLLECHID Bethesda, Bethesda *Cong.*
O.S. ref. SH 62326668
C 1790-1837 **PRO** 1818-39 **UWB** 1834-5 **+ NLW**

BETHESDA & LLANLLECHID Tal-y-bont, Bethlehem *Cong.*
O.S. ref. SH 60467050
C 1832 **+ NLW**

BETWS-Y-COED Bryn Mawr *CM*
O.S. ref. SH 79045668
C 1806-37 **PRO**

BODUAN *CM*
O.S. ref. SH 31533814
C 1833-5 **+ NLW** 1833-7 **PRO**

BOTWNNOG Neigwl *CM*
O.S. ref. SH 26682949
C 1832 **+ NLW**

BOTWNNOG   Rhyd-bach   *CM*
O.S. ref. SH 26213089
C 1814-34 **+ NLW**   1814-37 **PRO**

BRYNCROES   Sarn Mellteyrn, Tŷ-mawr   *CM*
O.S. ref. SH 22803223
C 1814-36 **PRO**   1815-35 **+ NLW**

CAERHUN   Y Ro-wen, Seion   *CM*
O.S. ref. SH 75847202
C 1811-15 **CROR**   1811-37 **PRO**

CAERHUN   Tal-y-bont   *CM*
O.S. ref. SH 76876839
C 1811-15 **CROR**   1815-37 **PRO**

CAERHUN   Tyn-y-groes/Henefail   *CM*
O.S. ref. SH 77467183
C 1832-7 **PRO**   1832-43,1846-9,1854-89 **UWB**   B 1875-92 **UWB**

CAPEL CURIG A LLANRHYCHWYN   Llanrhychwyn, Salem   *CM*
O.S. ref. SH 72185833
C 1814-36 **PRO**

CLYNNOG   Pontllyfni, Siloh   *Bap.*
O.S. ref. SH 43535265
C 1812-47 **GASC**

CLYNNOG   Bwlchderwin   *CM*
O.S. ref. SH 46124688
C 1811, 1818-37 **+ NLW**

CLYNNOG   Capel Uchaf   *CM*
O.S. ref. SH 43144978
C 1807-36 **+ NLW**   1807-37 **PRO**

CLYNNOG   Ebenezer   *CM*
O.S. ref. SH 41704982
M 1982 **NLW**

CLYNNOG   Pontllyfni, Brynaerau   *CM*
O.S. ref. SH 43995214
C 1811-37 **PRO**   1812-37 **+ NLW**   B 1937 **NLW**

CLYNNOG   Y Gurn Goch, Seion   *CM*
O.S. ref. SH 39944831
C 1825-36 **+ NLW**

CONWY/CONWAY   Carmel   *CM*
O.S. ref. SH 78097766
C 1813-37 **PRO**

CONWY/CONWAY Seion/Capel y Dysteb   *Cong.*
O.S. ref. SH 78067761
C 1819-36 **PRO**   1894-1901 **NLW**   M 1894-1901 **NLW**   B 1895-1901 **NLW**

CONWY/CONWAY Tabernacl   *W*
O.S. ref. SH 78047759
C 1842-1907 **GASC**   M 1900-45 **GASC**

CRICIETH & PENLLYN Cricieth, Capel Mawr   *CM*
O.S. ref. SH 49773814
C 1813-35 **+ NLW**   1813-37 **PRO**

DENEIO Pwllheli, Pen-mount   *CM*
O.S. ref. SH 37713517
C 1806-37 **PRO**   1809 **+ NLW**

DENEIO Pwllheli, Tarsus/Penrhydlyniog   *CM*
O.S. ref. SH 37333489
C 1920-70 **GASC**

DENEIO Pwllheli, Pen-lan   *Cong.*
O.S. ref. SH 37413510
C 1785-1837 **PRO**   B 1831-7 **PRO**

DENEIO Pwllheli, Seion   *W*
O.S. ref. SH 37653515
C 1811-37 **PRO**

DOLBENMAEN & PENMORFA Cwm Pennant, Pennant   *CM*
O.S. ref. SH 53104538
C 1819-37 **PRO**   1834 **+ NLW**

DOLBENMAEN & PENMORFA Garndolbenmaen, Jerusalem   *CM*
O.S. ref. SH 49574372
C 1812-35 **+ NLW**   1812-37 **PRO**

DOLBENMAEN & PENMORFA Penmorfa, Bethel   *CM*
O.S. ref. SH 53284161
C 1828-35 **+ NLW**   1830-5 **PRO**

DOLBENMAEN & PENMORFA Pren-teg, Horeb   *CM*
O.S. ref. SH 57664169
C 1833-5 **+ NLW**   1823-37 **PRO**

DOLWYDDELAN Capel Elen   *CM*
O.S. ref. SH 73825212
C 1813-37 **PRO**

DOLWYDDELAN Cyfyng   *CM*
O.S. ref. SH 77625329
C 1819-34 **+ NLW**

DOLWYDDELAN   Ganasareth   *Cong.*
O.S. ref. SH 73785212
C 1817-36 **PRO**

DWYGYFYLCHI   Penmaen-mawr, English   *CM*
O.S. ref. SH 72037626
C 1946-69 **NLW**   M 1947-80 **NLW**   B 1952-72 **NLW**

DWYGYFYLCHI   Penmaen-mawr Jerusalem/Pen-y-cae   *CM*
O.S. ref. SH 71847628
C 1804-37 **PRO**

DWYGYFYLCHI   Penmaen-mawr, Maenan   *CM*
O.S. ref. SH 71157625
C 1900-65 **NLW**

DWYGYFYLCHI   Horeb   *Cong.*
O.S. ref. SH 73147688
C 1804-37 **PRO**

EDERN   *CM*
O.S. ref. SH 27393960
C 1811-37 **PRO**   1811-1909 **GASC**   1811-1911 **UWB**   1811-1931 **NLW**
B 1811-1911 **UWB**   1851-89 **GASC**

GYFFIN, Y/GYFFIN   Tan-y-bwlch   *CM*
O.S. ref. SH 76027616
C 1832-7 **PRO**

LLANAELHAEARN   Cwmcoryn   *CM*
O.S. ref. SH 40324517
C 1805, 1815-35 + **NLW**   1815-37 **PRO**

LLANAELHAEARN   Trefor, Maesyneuadd   *Cong.*
O.S. ref. SH 37424658
C 1832 + **NLW**

LLANARMON   Pencoed   *CM*
O.S. ref. SH 44054087
C 1821-36 **PRO**   1831-5 + **NLW**

LLANARMON   Rhos-lan   *Cong.*
O.S. ref. SH 48014132
C 1813-37 **PRO**

LLANBEBLIG   Caernarfon, Castle Square   *CM*
O.S. ref. SH 47996263
C 1874-91 **GASC**

LLANBEBLIG Caernarfon, Engedi   *CM*
O.S. ref. SH 48136259
B 1938 **NLW**

LLANBEBLIG Caernarfon, Moriah/Penrallt   *CM*
O.S. ref. SH 48106278
C 1806-35 **+ NLW** 1806-37 **PRO** 1865-82, 1903-4, 1918-19, 1925, 1927, 1930-76
GASC B 1867-8, 1880-8, 1897-1920, 1925, 1927, 1930-76 **GASC**

LLANBEBLIG Caernarfon, Bangor Street, Pen-dref   *Cong.*
O.S. ref. SH 48026295
C 1785-1837 **PRO** 1785-1903 **GASC** M 1857-63 **GASC** B 1915-36 **GASC**

LLANBEBLIG Caernarfon, Salem   *Cong.*
O.S. ref. SH 48166268
M 1937 **NLW**

LLANBEBLIG Caernarfon, Castle Street   *W*
O.S. ref. SH 47786273
M 1878-1908, 1923 **GASC**

LLANBEBLIG Caernarfon, Ebenezer   *W*
O.S. ref. SH 48056262
C 1817-37 • **PRO** 1840-1966 • **GASC** 1855-9 **NLW**

LLANBEDROG Peniel   *CM*
O.S. ref. SH 32173190
C 1832-5 **+ NLW**

LLANBEDRYCENNIN Salem   *Cong.*
O.S. ref. SH 76396929
C 1812-96 **UWB** B 1851-9 **UWB**

LLANBERIS Seion   *Bap.*
O.S. ref. SH 57666048
B 1885-1939 **GASC**

LLANBERIS Capel Coch   *CM*
O.S. ref. SH 57656004
C 1809-37 **PRO** 1809-37, 1970, 1978 **GASC** 1811-37 **+ NLW** B 1887-1954, 1970,
1978 **GASC**

LLANBERIS Gorphwysfa   *CM*
O.S. ref. SH 57706039
C 1872-85 **GASC** B 1888-1978 **GASC**

LLANBERIS Nantperis, Rehoboth   *CM*
O.S. ref. SH 60555844
C 1834-7 **+ NLW**

LLANBERIS Jerusalem *Cong.*
O.S. ref. SH 58595965
C 1832-7 **PRO**

LLANBERIS Bethel *W*
O.S. ref. SH 57726045
C 1874-81 • **GASC**

LLANDDEINIOLEN Clwt-y-bont, Libanus *Bap.*
O.S. ref. SH 57486305
C 1913 **GASC** B 1913 **GASC**

LLANDDEINIOLEN Bryn'refail *CM*
O.S. ref. SH 55986271
C 1866-90 **NLW**

LLANDDEINIOLEN Deiniolen, Ysgoldy *CM*
O.S. ref. SH 56786339
C 1809-35 **+ NLW** 1809-37 **PRO**

LLANDDEINIOLEN Dinorwig *CM*
O.S. ref. SH 58736148
C 1809-37 **PRO** 1826-35 **+ NLW**

LLANDDEINIOLEN Y Fach-wen *CM*
O.S. ref. SH 57466185
C 1809-24 **+**, 1862-1962 **NLW** 1809-24 **PRO**

LLANDDEINIOLEN Glasgoed *CM*
O.S. ref. SH 54926475
C 1861-1989 **NLW**

LLANDDEINIOLEN Rhyd-fawr *CM*
O.S. ref. SH 54856559
C 1822, 1825 **+ NLW** 1833-7 **PRO**

LLANDDEINIOLEN Bethel, Bethel *Cong.*
O.S. ref. SH 52386536
C 1815-37 **PRO** 1815-52 **UWB**

LLANDDEINIOLEN Deiniolen, Ebenezer *Cong.*
O.S. ref. SH 57876324
C 1822-37 **PRO** 1822-38 **UWB**

LLANDDEINIOLEN Bethel, Saron *W*
O.S. ref. SH 52926547
C 1840-84, 1918-22, 1928-63 • **GASC**

LLANDDEINIOLEN Deiniolen, Tabernacl   *W*
O.S. ref. SH 57866306
C 1874-81 • **GASC**

LLANDDEINIOLEN Penisa'r-waun   *W*
O.S. ref. SH 55636399
C 1874-81 • **GASC**

LLANDDEINIOLEN   Seion   *W*
O.S. ref. SH 54716693
C 1840-84, 1918-22, 1928-63 • **GASC**

*LLANDEGAI/LLANDYGAI Gatehouse   *CM*
O.S. ref. SH 61407085
C 1809-37 **PRO**   1811-37 +, 1929-56 **NLW**   B 1929-89 **NLW**

*LLANDEGAI/LLANDYGAI Sling, Gorphwysfa   *W*
O.S. ref. SH 60116711
M 1902-14 **GASC**

*LLANDEGAI/LLANDYGAI Tre-garth, Shiloh   *W*
O.S. ref. SH 60186796
M 1913-65 **GASC**

LLANDUDNO & EGLWYS-RHOS Llandudno, Lloyd Street, Ebenezer   *CM*
O.S. ref. SH 78128234
C 1808-37 **PRO**   M 1899-1956 **GASC**   B 1821-37 **PRO**

LLANDUDNO & EGLWYS-RHOS Llandudno, Trinity Avenue, Rehoboth   *CM*
O.S. ref. SH 78218196
C 1909-66 **NLW**

LLANDUDNO & EGLWYS-RHOS Llandudno, Mostyn Street, St John's   *W*
O.S. ref. SH 78348232
C 1864-1991 • **GASC**   M 1921-40,1946-52,1958-9 **GASC**

LLANDWROG Bwlan   *CM*
O.S. ref. SH 45635637
C 1820-33 + **NLW**   1833-7 **PRO**

LLANDWROG Carmel, Carmel   *CM*
O.S. ref. SH 49395497
C 1789-1837 **PRO**   1813, 1827-37 + **NLW**

LLANDWROG Y Groeslon, Bryn-rhos   *CM*
O.S. ref. SH 47915544
C 1879-1906 **GASC**   M 1906-56 **GASC**

LLANDWROG Y Groeslon, Bryn'rodyn   *CM*
O.S. ref. SH 47525672
C 1811-35 + **NLW**   1812-36 **PRO**   M 1936 **NLW**   B 1936-42 **NLW**

LLANDWROG Carmel, Pisgah   *Cong.*
O.S. ref. SH 49525528
C 1813-32 + **NLW**   B 1937-40 **NLW**

LLANDWROG Moeltryfan, Hermon   *Cong.*
O.S. ref. SH 50945660
B 1936-40 **NLW**

LLANDWROG Ty'n-lôn, Salem   *W*
O.S. ref. SH 46455701
C 1840-1934, 1950-75 • **GASC**   M 1900-36 **GASC**

LLANDYGAI/LLANDEGAI Gatehouse   *CM*
O.S. ref. SH 61407085
C 1809-37 **PRO**   1811-37 +, 1929-56 **NLW**   B 1929-89 **NLW**

LLANDYGAI/LLANDEGAI Sling, Gorphwysfa   *W*
O.S. ref. SH 60116711
M 1902-14 **GASC**

LLANDYGAI/LLANDEGAI Tre-garth, Shiloh   *W*
O.S. ref. SH 60186796
M 1913-65 **GASC**

LLANENGAN Bwlch   *CM*
O.S. ref. SH 29892738
C 1808-37 + **NLW**   1808-37 **PRO**

LLANENGAN Bwlchtocyn   *Cong.*
O.S. ref. SH 31132607
C 1813-39 **UWB**   1815-37 **PRO**

LLANFAGLAN Pen-y-graig   *CM*
O.S. ref. SH 46386070
B 1936-7 **NLW**

LLANFAIR-IS-GAER Felinheli/Portdinorwic, Elim   *W*
O.S. ref. SH 52486764
C 1840-1902, 1918-22, 1928-63 • **GASC**

LLANFAIRFECHAN Horeb   *CM*
O.S. ref. SH 68497467
C 1804-37 **PRO**

LLANFAIRFECHAN English *W*
O.S. ref. SH 68137491
C 1894,1904 • **GASC**

LLANFIHANGEL BACHELLAETH Rhydyclafdy *CM*
O.S. ref. SH 32643494
C 1812-37 **PRO**

LLANGELYNNIN Henryd *Cong.*
O.S. ref. SH 76947469
C 1819-36 **PRO** B 1836 **PRO**

LLANGÏAN Nanhoron, Nant *CM*
O.S. ref. SH 28673166
C 1810-36 + **NLW** 1810-37 **PRO**

LLANGÏAN Nanhoron, Capel Newydd *Cong.*
O.S. ref. SH 28583092
C 1785-1837 **PRO**

LLANGWNNADL Pen-y-graig *CM*
O.S. ref. SH 20263328
C 1812-37 **PRO** 1813-1937 **UWB**

LLANGWNNADL Rhoshirwaun, Hebron *Cong.*
O.S. ref. SH 20553196
C 1846-59 **NLW**

LLANGYBI Brynengan *CM*
O.S. ref. SH 45224385
C 1810-35 + **NLW** 1810-37 **PRO**

LLANGYBI Pencaenewydd *CM*
O.S. ref. SH 40754104
C 1813-35 + **NLW** 1813-37 **PRO**

LLANGYBI Capel Helyg *Cong.*
O.S. ref. SH 42474095
C 1813-37 **PRO**

LLANGYSTENNIN Brynpydew *CM*
O.S. ref. SH 80857931
C 1820-36 **PRO**

LLANIESTYN Bryn-mawr *CM*
O.S. ref. SH 24653372
C 1828-36 + **NLW**

LLANIESTYN   Dinas   *CM*
O.S. ref. SH 26903605
C 1811-1963 **NLW**   1811-36 **PRO**

LLANIESTYN   Garnfadryn   *CM*
O.S. ref. SH 27793452
C 1816, 1823-36 **+ NLW**

LLANLLYFNI   Ebenezer   *Bap.*
O.S. ref. SH 47145232
B 1857 **GASC**

LLANLLYFNI   Salem   *CM*
O.S. ref. SH 47025180
C 1811-37 **PRO**   1813-37 **+ NLW**

LLANLLYFNI   Pen-y-groes, Bethel   *CM*
O.S. ref. SH 47015342
B 1851-67 **UWB**

LLANLLYFNI   Tal-y-sarn   *CM*
O.S. ref. SH 49225319
C 1811-37 **+ NLW**   1822-37 **PRO**

LLANLLYFNI   Drws-y-coed   *Cong.*
O.S. ref. SH 54175348
C 1812 **+ NLW**

LLANLLYFNI   Nazareth   *Cong.*
O.S. ref. SH 47114999
C 1834-7 **PRO**

LLANLLYFNI   Tal-y-sarn, Sion   *Cong.*
O.S. ref. SH 49095321
C 1837-46 **NLW**

LLANLLYFNI   Pen-y-groes, Horeb   *W*
O.S. ref. SH 47175317
C 1950-75 • **GASC**

LLANLLYFNI   Tal-y-sarn, Moriah   *W*
O.S. ref. SH 49155314
C 1840-1922, 1950-75 • **GASC**

LLANNOR   Pentre-uchaf   *CM*
O.S. ref. SH 35423904
C 1808-35 **+ NLW**   1808-37 **PRO**

LLANRUG   *CM*
O.S. ref. SH 53476349
C 1809-34 + **NLW**   1809-37 **PRO**

LLANRUG   Caeathro   *CM*
O.S. ref. SH 50136167
C 1826 + **NLW**   1829-37 **PRO**

LLANRUG   Cwm-y-glo, Barachiah   *CM*
O.S. ref. SH 55086258
C 1866-1971 **GASC**   B 1881-91,1893-1911,1938-71 **GASC**

LLANRUG   Hermon   *W*
O.S. ref. SH 53876359
C 1812 **GASC**

LLANWNDA   Glan-rhyd   *CM*
O.S. ref. SH 47555834
M 1935-9 **NLW**

LLANWNDA   Rhosgadfan   *CM*
O.S. ref. SH 50795727
B 1936-42 **NLW**

LLANWNDA   Rhostryfan, Horeb   *CM*
O.S. ref. SH 49635785
C 1821-37 + **NLW**   1821-37 **PRO**   1856-1939 **GASC**   1935-42 **NLW**   M 1935-8 **NLW**
B 1936-42   **NLW**

LLANWNDA   Rhostryfan, Bethel   *W*
O.S. ref. SH 48585785
C 1840-1922, 1950-75 • **GASC**

LLANYSTUMDWY   Bontfechan   *CM*
O.S. ref. SH 46283808
C 1811-35 + **NLW**   1811-37 **PRO**

NEFYN   Seion   *Bap.*
O.S. ref. SH 30854044
C 1787-1851 **GASC**

NEFYN   Capel Isa   *CM*
O.S. ref. SH 30754066
C 1808-35 +, 1867-1904 **NLW**

NEFYN   Soar   *Cong.*
O.S. ref. SH 30724054
C 1823-37 **PRO**

PENMACHNO   Salem/Ty'n-y-porth   *CM*
O.S. ref. SH 78965066
C 1812-37 **PRO**   1930 **NLW**   M 1930 **NLW**   B 1920-42 **NLW**

PENTIR   *CM*
O.S. ref. SH 57836698
C 1814-37 **+ NLW**

PENTIR   Caerhun   *CM*
O.S. ref. SH 57366907
C 1833-5 **+ NLW**

PISTYLL   Llithfaen   *CM*
O.S. ref. SH 35784316
C 1806, 1812-35 **+ NLW**   1812-37 **PRO**

TREFLYS   Brynmelyn   *CM*
O.S. ref. SH 54173926
C 1809-37 **+ NLW**   1809-37 **PRO**

TREFRIW   Peniel   *CM*
O.S. ref. SH 78046320
C 1815-21 **CROR**   1815-37 **PRO**

TUDWEILIOG   *CM*
O.S. ref. SH 23623658
C 1811-35 **+ NLW**   1811-35 **PRO**

WAUNFAWR   Bethel   *CM*
O.S. ref. SH 52845929
C 1812-34 **+ NLW**   1812-35 **PRO**

WAUNFAWR   Bontnewydd, Siloam   *CM*
O.S. ref. SH 48325994
C 1810-34 **+ NLW**   1828-37 **PRO**

WAUNFAWR   Moreia   *Cong.*
O.S. ref. SH 52796008
C 1828-37 **PRO**

YNYSCYNHAEARN   Porthmadog, Tabernacl   *CM*
O.S. ref. SH 56903889
C 1879-1925 **NLW**

YNYSCYNHAEARN   Tremadog, Peniel   *CM*
O.S. ref. SH 56263989
C 1810-36 **+ NLW**   1812-36 **PRO**

YNYSCYNHAEARN Pentre'r-felin, Tabor   *Cong.*
O.S. ref. SH 52253997
M 1934 **NLW**

YNYSCYNHAEARN Porthmadog, Salem   *Cong.*
O.S. ref. SH 56863874
C 1826-37 **PRO**

YNYSCYNHAEARN Borth-y-gest   *W*
O.S. ref. SH 56403750
C 1879-1942 • **GASC**

YNYSCYNHAEARN Porthmadog, Ebenezer   *W*
O.S. ref. SH 56883884
C 1879-1942 • **GASC**   M 1976-80 **GASC**

YNYSCYNHAEARN Porthmadog, English   *W*
O.S. ref. SH 56933854
C 1875-95 • **GASC**

DINBYCH/DENBIGHSHIRE

ABERCHWILER/ABERWHEELER Bodfari, Waen   *CM*
O.S. ref. SJ 09676925
C 1812-36 + **NLW**   1812-37 **PRO**   1864-1961 **CROR**

ABERGELE   Mynydd Seion   *CM*
O.S. ref. SH 94437739
C 1810-37 **PRO**   1810-37,1856-81 **NLW**   M 1844 **NLW**

ABERGELE   Pen-sarn   *CM*
O.S. ref. SH 94797871
C 1922-80 **NLW**

ABERGELE   Pen-sarn, English   *CM*
O.S. ref. SH 94927867
C 1922-76 **CROH**   1922-76 **CROR**   1922-80 **NLW**

ABERGELE   Penybrynllwyni   *CM*
O.S. ref. SH 98357615
C 1830-7 **PRO**

ABERGELE   St Paul's   *W*
O.S. ref. SH 94767749
C 1813-20 **PRO**   1843-1914,1955-80 **CROH**   1843-1914,1955-80 **CROR**

ABERGELE WLEDIG/ABERGELE RURAL   Towyn, Salem   *CM*
O.S. ref. SH 97477945
C 1815-38,1858-83,1934-84 **CROH**   1815-38,1858-83,1934-84 **CROR**

ABERGELE WLEDIG/ABERGELE RURAL   Moelfre, Ebenezer   *Cong.*
O.S. ref. SH 95527528
C 1823-36 **PRO**   1850-93 **CROH**   1850-93 **CROR**

*ABERWHEELER/ABERCHWILER Bodfari, Waen   *CM*
O.S. ref. SJ 09676925
C 1812-36 + **NLW**   1812-37 **PRO**   1864-1961 **CROR**

BAE COLWYN/COLWYN BAY   Hawarden Road   *Bap.*
O.S. ref. SH 84977855
M 1935-70 **CROR**

BAE COLWYN/COLWYN BAY   Bethlehem   *CM*
O.S. ref. SH 85377857
M 1935 **NLW**

BAE COLWYN/COLWYN BAY   Engedi   *CM*
O.S. ref. SH 84877890
C 1911-15,1927-9 **NLW**   B 1927-30 **NLW**

BAE COLWYN/COLWYN BAY Conway Road   *CM*
O.S. ref. SH 84837906
M 1940-1,1949-69,1971-4 **NLW**

BAE COLWYN/COLWYN BAY Mochdre, Bron-y-nant/Seion   *W*
O.S. ref. SH 83057926
C 1961-87 • **CROR**

BAE COLWYN/COLWYN BAY Rhiw Road/Horeb   *W*
O.S. ref. SH 85007876
C 1961-87 • **CROR**

BERS/BERSHAM   Coed-poeth, Adwy'r-clawdd   *CM*
O.S. ref. SJ 28885098
C 1810-37 **PRO**   M 1914-21 **NLW**   B 1850-65 **NLW**

BERS/BERSHAM Glan'rafon, Seion   *CM*
O.S. ref. SJ 30195170
C 1899-1971 **NLW**

BERS/BERSHAM Coed-poeth, Salem   *Cong.*
O.S. ref. SJ 28335126
C 1864-1987 **CROH**   1864-1987 **CROR**   B 1864-88 **UWB**

BERS/BERSHAM Coed-poeth, Rehoboth   *W*
O.S. ref. SJ 28185140
C 1962-82 • **CROR**

BERS/BERSHAM Coed-poeth, Talwrn, Bathafarn   *W*
O.S. ref. SJ 28845149
C 1962-82 • **CROR**

BERS/BERSHAM   English   *W*
O.S. ref. SJ 31364925
C 1907-82 **CROH**   1907-82 **CROR**

BERS/BERSHAM Southsea, Salem   *W*
O.S. ref. SJ 30165179
C 1917-81 **CROR**

*BERSHAM/BERS   gweler uchod/see above

BETWS-YN-RHOS   Hyfrydle   *CM*
O.S. ref. SH 90777356
C 1811-37 **PRO**

*BROUGHTON/BRYCHTYN   gweler isod/see below

BRYCHTYN/BROUGHTON Brychtyn Newydd/New Broughton, Cysegr   *CM*
O.S. ref. SJ 31185128
C 1898-1982 **CROR**   M 1922-84 **CROR**   B 1894-1986 **CROR**

BRYCHTYN/BROUGHTON Bryn Seion   *Cong.*
O.S. ref. SJ 29865385
C 1826-37 **PRO**

BRYCHTYN/BROUGHTON Old Mount, Bethel   *W*
O.S. ref. SJ 29795361
C 1920-30 **CROH**   1920-30 **CROR**

BRYCHTYN/BROUGHTON Pisgah   *W*
O.S. ref. SJ 30695300
C 1862-78 **CROH**   1862-78 **CROR**

BRYMBO Bwlch-gwyn, Peniel   *CM*
O.S. ref. SJ 25245296
C 1834-6 **PRO**

BRYMBO Harwd/Harwt, Engedi   *CM*
O.S. ref. SJ 29435386
C 1828-37 **PRO**

BRYMBO Lodge, Bethania   *CM*
O.S. ref. SJ 29985310
C 1829-37 **PRO**

BRYMBO Cana/Gyfynys   *Cong.*
O.S. ref. SJ 29685226
C 1827-37 **CROH**   1827-37 **CROR**

BRYMBO Bwlch-gwyn, Bethesda   *W*
O.S. ref. SJ 25895340
C 1866-1961 **CROH**   1866-1961 **CROR**

BRYMBO Lodge   *W*
O.S. ref. SJ 30135281
C 1916-60 **CROR**

BRYMBO Mount, English   *W*
O.S. ref. SJ 29425384
C 1866-1912,1916-60 **CROR**

BRYMBO Tan-y-fron, Mynydd Seion   *W*
O.S. ref. SJ 29645219
C 1866-1930 **CROH**   1866-1930 **CROR**

BRYNEGLWYS   Sion/Seion   *CM*
O.S. ref. SJ 14494721
C 1820-37 **PRO**   1820-36 **+**, 1855-97 **NLW**   1857-92 **UWB**   M 1857-92 **UWB**
B 1857-92 **UWB**

BYLCHAU Groes   *CM*
O.S. ref. SJ 00776469
C 1814-37 **PRO**

CEFN Cefn Meiriadog, Tabernacl   *CM*
O.S. ref. SJ 00277342
C 1810-35 **PRO**

CEFN-MAWR   Cefnbychan   *Bap.*
O.S. ref. SJ 28474150
C 1798-1867 **NLW**

CEFN-MAWR   Ebenezer   *Bap.*
O.S. ref. SJ 27994221
C 1856-90 **CROR**   B 1856-90 **CROR**

CEFN-MAWR   Seion   *Bap.*
O.S. ref. SJ 27974266
C 1800-36 **NLW**   M 1936-77 **CROH**   1936-77 **CROR**

CEFN-MAWR Acre-fair, Trinity   *CM*
O.S. ref. SJ 27594300
C 1924-82 **CROH**   1924-82 **CROR**   M 1932-80 **CROH**   1932-80 **CROR**

CEFN-MAWR   Pen-y-bryn   *CM*
O.S. ref. SJ 26534426
C 1861-1919 **NLW**

CEFN-MAWR Rhosymedre, Bethel   *Cong.*
O.S. ref. SJ 28474254
C 1836-7 **PRO**

CEFN-MAWR Crane Street   *FM*
O.S. ref. SJ 27874230
C 1870-1937 **CROR**

CEFN-MAWR   *W*
O.S. ref. SJ 27824306
C 1880-1981 **CROH**   1880-1981 **CROR**

CEFN-MAWR   Cefnbychan   *W*
O.S. ref. SJ 28334188
M 1961-74 **CROR**

CEFN-MAWR Gorphwysfa *W*
O.S. ref. SJ 27844216
C 1820-37 **PRO** M 1910-19 **CROR**

CEFN-MAWR Rhosymedre *W*
O.S. ref. SJ 28334268
C 1880-1981 • **CROH** 1880-1981 • **CROR**

CEFN-MAWR Salem *W*
O.S. ref. SJ 27924338
C 1880-1981 • **CROH** 1880-1981 • **CROR**

CERRIGYDRUDION Jerusalem *CM*
O.S. ref. SH 95204958
C 1811-37 **PRO** 1811-42, 1870-1920 **NLW** B 1915-20 **NLW**

CERRIGYDRUDION Pentrellyncymer, Hermon *Cong.*
O.S. ref. SH 97225252
C 1815-37 **PRO** 1815-85 **CROR** B 1843-53 **CROR**

CERRIGYDRUDION Seion *W*
O.S. ref. SH 95444880
C 1940-79 **CROH** 1940-79 **CROR**

*CHIRK/Y WAUN Station Road, Black Park *PM*
O.S. ref. SJ 30194009
M 1968-70 **CROR**

*CHIRK/Y WAUN Jubilee *W*
O.S. ref. SJ 28684030
M 1938-54,1977 **CROR**

CLOCAENOG Gades *CM*
O.S. ref. SJ 08205436
B 1918 **NLW**

*COLWYN BAY/BAE COLWYN Hawarden Road *Bap.*
O.S. ref. SH 84977855
M 1935-70 **CROR**

*COLWYN BAY/BAE COLWYN Bethlehem *CM*
O.S. ref. SH 85377857
M 1935 **NLW**

*COLWYN BAY/BAE COLWYN Engedi *CM*
O.S. ref. SH 84877890
C 1911-15, 1927-9 **NLW** B 1927-30 **NLW**

*COLWYN BAY/BAE COLWYN Conway Road *CM*
O.S. ref. SH 84837906
M 1940-1, 1949-69, 1971-4 **NLW**

*COLWYN BAY/BAE COLWYN   Mochdre, Bron-y-nant/Seion   *W*
O.S. ref. SH 83057926
C 1961-87 • **CROR**

*COLWYN BAY/BAE COLWYN   Rhiw Road/Horeb   *W*
O.S. ref. SH 85007876
C 1961-87 • **CROR**

*DENBIGH/DINBYCH   gweler isod/see below DINBYCH/DENBIGH

DERWEN   Clawddnewydd   *CM*
O.S. ref. SJ 08155237
C 1818-37 **PRO**   1842-84 **CROR**   B 1914 **NLW**

DERWEN   *CM*
O.S. ref. SJ 06815089
B 1914 **NLW**

DINBYCH/DENBIGH   Capel Mawr/Middle Chapel   *CM*
O.S. ref. SJ 05256627
C 1810-37 **PRO**   1810-58, 1891-1921 **CROR**   M 1899-1971 **CROR**

DINBYCH/DENBIGH   Glyn   *CM*
O.S. ref. SJ 06376379
C 1921-36 **NLW**   M 1925-6 **NLW**

DINBYCH/DENBIGH   Henllan, Capel Mawr   *CM*
O.S. ref. SJ 02466808
C 1810-37 **PRO**

DINBYCH/DENBIGH   Green   *Cong.*
O.S. ref. SJ 05976867
C 1821-37 **PRO**

DINBYCH/DENBIGH   Lôn Swan   *Cong.*
O.S. ref. SJ 05326619
C 1763-1821 **PRO**   1763-1883,1892-1919 **CROR**   M 1892-1908 **CROR**   B 1891-1919 **CROR**

DINBYCH/DENBIGH   Henllan   *W*
O.S. ref. SJ 02366808
C 1875-1980 • **CROH**   1875-1980 • **CROR**

DINBYCH/DENBIGH   Pen-dref   *W*
O.S. ref. SJ 05176619
C 1814-37 **PRO**   1875-1980 • **CROH**   1875-1980 • **CROR**

DINBYCH/DENBIGH   Salem   *W*
O.S. ref. SJ 05936642
C 1875-1980 • **CROH**   1875-1980 • **CROR**

EFENECHDYD Pwll-glas, Rhiw   *CM*
O.S. ref. SJ 11845481
C 1826-37 **PRO**

EGLWYS-BACH   Bryndaionyn   *CM*
O.S. ref. SH 80537186
C 1825-36 **PRO**

EGLWYS-BACH   Pwllterfyn   *CM*
O.S. ref. SH 79676803
C 1813-37 **PRO**

EIRIAS Colwyn, Ebenezer   *Cong.*
O.S. ref. SH 86557838
C 1805-37 **PRO**   B 1817-37 **PRO**

ERBISTOG/ERBISTOCK   Ebenezer   *Cong.*
O.S. ref. SJ 33974303
C 1832-7 **PRO**   1832-1936 **CROR**

ESCLUSHAM ABOVE Wrecsam/Wrexham, Wern   *Cong.*
O.S. ref. SJ 27845041
C 1808-37 **PRO**   1808-92 **UWB**   B 1822-90 **UWB**

ESCLUSHAM BELOW Rhostyllen, Tabernacle   *CM*
O.S. ref. SJ 31204882
C 1833-7 **PRO**

ESCLUSHAM BELOW Rhostyllen, Salem/Capel Coffa Williams o'r Wern   *Cong.*
O.S. ref. SJ 31464872
C 1832-7 **PRO**

ESCLUSHAM BELOW Wrecsam/Wrexham, Pentrefelin   *Cong.*
O.S. ref. SJ 33245020
C 1829-37 **PRO**

GLYNTRAEAN Dôl-y-wern, Ainon   *Bap.*
O.S. ref. SJ 22073727
C 1860-89 **CROH**

GLYNTRAEAN   Erwallo   *CM*
O.S. ref. SJ 21653783
C 1830-6 **PRO**

GWERSYLLT   Mount Zion/Summerhill   *CM*
O.S. ref. SJ 31005377
C 1875-97 **NLW**   M 1873-87 **NLW**   B 1873-88 **NLW**

GWERSYLLT   Wheatsheaf, English   *CM*
O.S. ref. SJ 31865352
C 1875-97 **NLW**   M 1873-87 **NLW**   B 1873-88 **NLW**

GWYTHERIN   Silo   *CM*
O.S. ref. SH 87696175
C 1814-22 **CROR**   1814-37 **PRO**

GYFFYLLIOG, Y Bontuchel   *CM*
O.S. ref. SJ 08445779
C 1812-21 **CROR**   1812-37 **PRO**

LLANARMON DYFFRYN CEIRIOG   Glasaber   *CM*
O.S. ref. SJ 14023388
C 1812-36 **PRO**

LLANARMON DYFFRYN CEIRIOG   Tregeiriog, Salem   *CM*
O.S. ref. SJ 15593261
C 1812-36 **PRO**

LLANARMON MYNYDD MAWR Cwm-du, Hermon   *CM*
O.S. ref. SJ 15182870
C 1856-1942 **NLW**

LLANARMON-YN-IÂL   Eryrys, Maesydröell   *CM*
O.S. ref. SJ 21655673
C 1855-1915 **CROR**   B 1860-1917 **CROR**

LLANARMON-YN-IÂL   Rhiw Iâl/Bryn-y-gloch   *CM*
O.S. ref. SJ 18645648
C 1811-36 **NLW**   1865-1984 **CROH**   1865-1984 **CROR**

LLANBEDR DYFFRYN CLWYD   Llwynedd/Bethania   *CM*
O.S. ref. SJ 14935919
C 1838-40 **CROR**

LLANDDOGED   Efailucha, Salem   *CM*
O.S. ref. SH 80716524
C 1890-1973 **NLW**   M 1958-75 **NLW**   B 1861-1975 **NLW**

LLANDEGLA   Bethania   *CM*
O.S. ref. SJ 19745225
C 1821-36 **+ NLW**

LLANDYRNOG   Dyffryn   *CM*
O.S. ref. SJ 10756584
C 1811-35 **+ NLW**   1811-37 **PRO**   1811-45 **CROR**

LLANDYSILIO-YN-IÂL/LLANTYSILIO   Llanddynnan, Horeb   *CM*
O.S. ref. SJ 18704498
C 1821-36 **PRO**

LLANDYSILIO-YN-IÂL/LLANTYSILIO Pentre-dŵr, Bethesda *CM*
O.S. ref. SJ 19904663
C 1829-36 **PRO** 1848-52 **NLW** 1885-1948 **CROR**

LLANEFYDD/LLANNEFYDD Pentre Isaf, Peniel *Bap.*
O.S. ref. SH 98247161
C 1805-37 **CROH** 1805-37 **CROR**

LLANEFYDD/LLANNEFYDD Ffynhonnau *CM*
O.S. ref. SH 96607042
C 1810-24 **CROR** 1810-37 **PRO**

LLANEILIAN-YN-RHOS Nant *CM*
O.S. ref. SH 86087684
C 1829-37 **PRO**

LLANELIDAN Brynbanadl *CM*
O.S. ref. SJ 10515037
C 1810-37 **PRO** 1814-21 **CROR**

LLANFAIR DYFFRYN CLWYD Pentrecelyn *CM*
O.S. ref. SJ 14975342
C 1823-37 **PRO**

LLANFAIR TALHAEARN Garnedd *CM*
O.S. ref. SH 88916697
C 1822-37 **PRO**

LLANFAIR TALHAEARN Tabor *CM*
O.S. ref. SH 93147252
C 1884-1926 **CROR**

LLANFAIR TALHAEARN *W*
O.S. ref. SH 92837005
C 1812-30 **PRO**

LLANFERRES Maes-hafn *CM*
O.S. ref. SJ 20196101
C 1821-36 **+ NLW** 1821-37 **PRO**

LLANFIHANGEL GLYN MYFYR *CM*
O.S. ref. SH 99134914
C 1811-42 **NLW** 1819-37 **PRO**

LLANGADWALADR Tregciriog *CM*
O.S. ref. SJ 17763386
C 1812-36 **PRO**

LLANGERNYW   Cefn-coch   *CM*
O.S. ref. SH 86746900
C 1810-37 **PRO**

LLANGERNYW   Pandy Tudur, Bethania   *CM*
O.S. ref. SH 86906434
C 1811-37 **PRO**

LLANGOLLEN   Pen-y-bryn   *Bap.*
O.S. ref. SJ 21484204
C 1817-45 **NLW**   B 1823-44 **NLW**

LLANGOLLEN   Rehoboth   *CM*
O.S. ref. SJ 21514182
C 1805-17 **+ NLW**   1805-37 **PRO**   1880-1964 **CROH**   1880-1964 **CROR**

LLANGOLLEN   Glan'rafon   *Cong.*
O.S. ref. SJ 21354207
C 1808-37 **PRO**

LLANGOLLEN   English   *W*
O.S. ref. SJ 21284207
C 1852-1969 • **CROH**   1852-1969 • **CROR**

LLANGOLLEN   Zion/Seion   *W*
O.S. ref. SJ 24184194
C 1852-1969 • **CROH**   1852-1969 • **CROR**   M 1902-80 **CROR**

LLANGOLLEN WLEDIG/LLANGOLLEN RURAL Berwyn, Eirianallt   *CM*
O.S. ref. SJ 19754315
C 1920-6 **NLW**

LLANGOLLEN WLEDIG/LLANGOLLEN RURAL Pontcysyllte, Brynseion   *CM*
O.S. ref. SJ 27104237
C 1806, 1825-36 **+ NLW**   1825-37 **PRO**

LLANGWM   Cefn Nannau   *CM*
O.S. ref. SH 96834558
C 1806, 1811-42 **NLW**   B 1920-7 **NLW**

LLANGWM   Dinmael   *CM*
O.S. ref. SJ 00584472
C 1866-1969 **NLW**   M 1915-18 **NLW**   B 1916-36 **NLW**

LLANGWM   Groes   *Cong.*
O.S. ref. SH 96424452
C 1799-1837 **PRO**   1799-1862 **UWB**   B 1928-9 **NLW**

LLANGWYFAN   Ffordd-las, Ebenezer   *Cong.*
O.S. ref. SJ 12036480
C 1834-7 **PRO**

LLANGYNHAFAL Gellifor   *CM*
O.S. ref. SJ 12406256
C 1814-36 + **NLW**   1814-37 **PRO**

*LLANNEFYDD/LLANEFYDD Pentre Isaf, Peniel   *Bap.*
O.S. ref. SH 98247161
C 1805-37 **CROH**   1805-37 **CROR**

*LLANNEFYDD/LLANEFYDD Ffynhonnau   *CM*
O.S. ref. SH 96607042
C 1810-24 **CROR**   1810-37 **PRO**

LLANRHAEADR-YM-MOCHNANT Maengwynedd, Bethel   *CM*
O.S. ref. SJ 11673192
C 1920-47 **NLW**   B 1935 **NLW**

LLANRHAEADR-YNG-NGHINMEIRCH   Peniel   *CM*
O.S. ref. SJ 02796300
C 1854-1904 **CROR**

LLANRHAEADR-YNG-NGHINMEIRCH   Pentre   *CM*
O.S. ref. SJ 08646262
C 1814-37 **PRO**   1921-36 **NLW**   M 1921-32 **NLW**

LLANRHAEADR-YNG-NGHINMEIRCH Pentre Saron, Saron   *CM*
O.S. ref. SJ 02836060
C 1827-36 **PRO**

LLANRHAEADR-YNG-NGHINMEIRCH Prion   *CM*
O.S. ref. SJ 05586217
C 1812-37 **PRO**

LLANRHAEADR-YNG-NGHINMEIRCH Wern   *CM*
O.S. ref. SJ 07706122
C 1921-36 **NLW**   M 1921-32 **NLW**

LLANRWST Seion   *CM*
O.S. ref. SH 81166247
C 1810-37 **PRO**   M 1923-8 **NLW**   B 1817-1907,1926-9 **NLW**

LLANRWST Tabernacle   *Cong.*
O.S. ref. SH 79826197
C 1803-37 **PRO**   B 1820-37 **PRO**

LLANRWST Horeb   *W*
O.S. ref. SH 79686179
C 1854-1976 • **CROH**   1854-1976 • **CROR**

LLANRWST WLEDIG/LLANRWST RURAL Capel Garmon, Seion   *CM*
O.S. ref. SH 81605534
C 1813-37 **PRO**

LLANRWST WLEDIG/LLANRWST RURAL Carmel   *CM*
O.S. ref. SH 82426297
C 1908-52 **NLW**   M 1931-52 **NLW**   B 1908-52 **NLW**

LLANRWST WLEDIG/LLANRWST RURAL Capel Garmon, Siloam   *Cong.*
O.S. ref. SH 83345300
B 1926-32 **NLW**

LLAN SAIN SIÔR/ST GEORGE   *Cong.*
O.S. ref. SH 97477592
C 1825-37 **PRO**

LLANSANFFRAID GLAN CONWY   Bryn Ebenezer   *CM*
O.S. ref. SH 85227276
C 1813-21 **CROR**   1813-37 **PRO**

LLANSANFFRAID GLAN CONWY   Ty'nycelyn   *W*
O.S. ref. SH 80437574
C 1961-87 **CROR**

LLANSANFFRAID GLYNCEIRIOG Glynceiriog, Salem   *SB*
O.S. ref. SJ 20323802
C 1771-1888 **CROH**   1771-1888 **CROR**   M 1859-64 **CROH**   1859-64 **CROR**
B 1870-81 **CROH**   1870-81 **CROR**

LLANSANFFRAID GLYNCEIRIOG Glynceiriog, Bethel   *W*
O.S. ref. SJ 20103750
M 1902-55 **GASD**

LLANSANNAN   Bethania   *Bap.*
O.S. ref. SH 93366572
C 1814-30 **CROR**

LLANSANNAN   Brynyrorsedd/Capel Mawr/Capel Coffa Henry Rees   *CM*
O.S. ref. SH 93296575
C 1811-22 **CROR**   1811-37 **PRO**

LLANSANNAN   Pen-y-cefn   *CM*
O.S. ref. SH 94886153
C 1908-23 **NLW**   B 1908-23 **NLW**

LLANSANNAN   Tan-y-fron   *CM*
O.S. ref. SH 95836416
C 1812-37 **PRO**

LLANSANNAN   Hiraethog   *Cong.*
O.S. ref. SH 93516580
M 1956-73 **CROR**

LLANSILIN   Salem   *Bap.*
O.S. ref. SJ 20892860
C 1818-44 **CROR**

LLANSILIN   Cefncanol   *CM*
O.S. ref. SJ 23283116
C 1818-37 **PRO**   1877-1975 **CROR**

LLANSILIN   Bethesda   *Cong.*
O.S. ref. SJ 20962792
C 1818-37 **PRO**

*LLANTYSILIO/LLANDYSILIO-YN-IÂL   Llanddynnan, Horeb   *CM*
O.S. ref. SJ 18704498
C 1821-36 **PRO**

*LLANTYSILIO/LLANDYSILIO-YN-IÂL Pentre-dŵr, Bethesda   *CM*
O.S. ref. SJ 19904663
C 1829-36 **PRO**   1848-52 **NLW**   1885-1948 **CROR**

LLYSFAEN   Bethel   *CM*
O.S. ref. SH 89317679
C 1834-6 **CROR**   1834-6 **PRO**

NANTGLYN   Waen/Soar   *CM*
O.S. ref. SJ 99866223
C 1811-37 **PRO**   1854-88 **CROR**

PEN-Y-CAE   Salem   *Bap.*
O.S. ref. SJ 27784528
C 1789-1837 **PRO**   1802-21 **NLW**

PEN-Y-CAE   Groes   *CM*
O.S. ref. SJ 28084532
B 1864-1921 **CROR**

PENTREFOELAS Rhydlydan   *CM*
O.S. ref. SH 89315098
C 1833-6 **PRO** M 1935 **NLW**

PENTREFOELAS   Bethel   *Cong.*
O.S. ref. SH 88635094
C 1806-37 **PRO**

RHIWABON/RUABON   Providence/Rhagluniaeth   *CM*
O.S. ref. SJ 30294370
C 1804,1817,1832-7 **PRO**

RHIWABON/RUABON   Tan-y-llan   *Cong.*
O.S. ref. SJ 30344371
C 1814-37 **PRO**

RHIWABON/RUABON   Park/English   *W*
O.S. ref. SJ 30164369
C 1876-1944 **CROR**

RHOSLLANNERCHRUGOG   Capel Mawr   *CM*
O.S. ref. SJ 29084628
C 1800-1,1810-37 **PRO**   1873-1936 **CROH**   1873-1936 **CROR**

RHOSLLANNERCHRUGOG   Hill Street   *CM*
O.S. ref. SJ 29334627
C 1896-1984 **CROH**   1896-1984 **CROR**   B 1941-5 **CROH**   1941-5 **CROR**

RHOSLLANNERCHRUGOG   Bethlehem   *Cong.*
O.S. ref. SJ 28944675
C 1810-31 **PRO**   1810-35 **UWB**   1810-37 **CROR**

RHUTHUN/RUTHIN   Llanfwrog   *Bap.*
O.S. ref. SJ 12025823
C 1790-1837 **PRO**   1791-1824 **NLW**   B 1800-33 **NLW**   1805-1981 **CROR**

RHUTHUN/RUTHIN   Rhos Street   *CM*
O.S. ref. SJ 12795824
C 1803-37 **PRO**

RHUTHUN/RUTHIN   Tabernacl   *CM*
O.S. ref. SJ 12585824
M 1917-19 **NLW**

RHUTHUN/RUTHIN Llanfwrog, Bryn Seion/Galltegfa   *Cong.*
O.S. ref. SJ 10545768
C 1892-1903 **CROR**

RHUTHUN/RUTHIN   Pen-dref   *Cong.*
O.S. ref. SJ 12555819
C 1810, 1818-37 **PRO**   1824-68 **CROR**   B 1844-51 **PRO**

RHUTHUN/RUTHIN   Bathafarn   *W*
O.S. ref. SJ 12485839
C 1841-1979 • **CROH**   1841-1979 • **CROR**

RHUTHUN/RUTHIN Mill Street   *W*
O.S. ref. SJ 12115816
C 1813-37 **PRO** 1841-1979 • **CROH** 1841-1979 • **CROR**

*RUABON/RHIWABON Providence/Rhagluniaeth   *CM*
O.S. ref. SJ 30294370
C 1804, 1817, 1832-7 **PRO**

*RUABON/RHIWABON Tan-y-llan   *Cong.*
O.S. ref. SJ 30344371
C 1814-37 **PRO**

*RUABON/RHIWABON Park/English   *W*
O.S. ref. SJ 30164369
C 1876-1944 **CROR**

*RUTHIN/RHUTHUN gweler uchod/see above RHUTHUN/RUTHIN

*ST GEORGE/LLAN SAIN SIÔR   *Cong.*
O.S. ref. SH 97477592
C 1825-37 **PRO**

TIR IFAN Ysbyty Ifan, Seion   *CM*
O.S. ref. SH 84364866
C 1812-37 **PRO**   1921 **NLW**   M 1920-36 **NLW**   B 1920-44 **NLW**

TREFNANT Penpalmant/Green   *CM*
O.S. ref. SJ 05217070
C 1824-37 **PRO**   1824-1941 **CROR**

WAUN,Y/CHIRK Station Road, Black Park   *PM*
O.S. ref. SJ 30194009
M 1968-70 **CROR**

WAUN,Y/CHIRK Jubilee   *W*
O.S. ref. SJ 28684030
M 1938-54,1977 **CROR**

WRECSAM/WREXHAM Chester Street   *Bap.*
O.S. ref. SJ 33595053
C 1785-96,1803-37 **PRO**   1771-1838 **NLW**   B 1785-94 **PRO**   1785-94, 1867-1904 **NLW**   1864-1904 **CROR**

WRECSAM/WREXHAM Abbot Street   *CM*
.O.S. ref. SJ 33435021
C 1811-37 **PRO**   1811-88 **CROH**   1811-88 **CROR**

WRECSAM/WREXHAM Regent Street, Zion/Seion/Capel y Groes   *CM*
O.S. ref. SJ 33305044
C 1707-18 **NLW**   1811-1960 **CROH**   1811-1960 **CROR**   B 1715-18 **NLW**

WRECSAM/WREXHAM   Victoria Hall   *CM*
O.S. ref. SJ 33325015
C 1958-81 **CROH**   1958-81 **CROR**

WRECSAM/WREXHAM   Chester Street   *Cong.*
O.S. ref. SJ 33605035
C1713-1837 **PRO**   B 1715-1837 **PRO**

WRECSAM/WREXHAM   Queen Street, Ebenezer   *Cong.*
O.S. ref. SJ 33485036
M 1982-4 **CROR**

WRECSAM/WREXHAM   Salisbury Park, Pen-y-bryn   *Cong.*
O.S. ref. SJ 33484973
C 1788-1837 **PRO**

WRECSAM/WREXHAM   Poyser Street   *PM*
O.S. ref. SJ 33144980
C 1965-6 **CROR**   M 1912-72 **CROR**

WRECSAM/WREXHAM   Brynffynnon   *W*
O.S. ref. SJ 33255040
C 1818-37 **PRO**   M 1863-89, 1911-70 **CROR**

WRECSAM/WREXHAM   Salop Road   *W*
O.S. ref. SJ 33724993
C 1813-37 **PRO**

WRECSAM/WREXHAM   gweler hefyd/see also ESCLUSHAM

*WREXHAM/WRECSAM   gweler uchod/see above

FFLINT / FLINTSHIRE

ALLT MELYD/MELIDEN Salem *W*
O.S. ref. SJ 06088085
C 1856-1971 **CROH** C 1856-1971 **CROR**

BETTISFIELD Ebenezer/Schoolhouse/Mill House *PM*
O.S. ref. SJ 46123537
C 1843-1988 • **SRO**

BODELWYDDAN Morfa Rhuddlan *CM*
O.S. ref. SH 99407733
C 1823-36 **PRO**

BRONINGTON *PM*
O.S. ref. SJ 48653893
C 1843-1988 • **SRO**

*BUCKLEY/BWCLE gweler isod/see below

BWCLE/BUCKLEY St John *Cong.*
O.S. ref. SJ 28006454
C 1820-36 **PRO** 1954-73 **CROH** 1954-73 **CROR** M 1946-82 **CROH**
1946-82 **CROR** B 1952-65 **CROH** 1952-65 **CROR**

BWCLE/BUCKLEY Zion *EP*
O.S. ref. SJ 28046398
M 1899-1966,1973-4 **NLW**

BWCLE/BUCKLEY Bistre, Providence *MN*
O.S. ref. SJ 28916356
C 1830-6 + **NLW** 1893-1948 **CROH** 1950-77 **CROR**

BWCLE/BUCKLEY Alltami *PM*
O.S. ref. SJ 26556551
C 1902-89 • **CROH**

BWCLE/BUCKLEY Drury *PM*
O.S. ref. SJ 29246445
C 1902-89 • **CROH**

BWCLE/BUCKLEY Tabernacle *PM*
O.S. ref. SJ 27826395
C 1902-89 • **CROH**

BWCLE/BUCKLEY Brunswick *W*
O.S. ref. SJ 28266395
C 1885-1935 **CROH**

BWCLE/BUCKLEY Mold Road *W*
O.S. ref. SJ 27146399
C 1840-1971 • **CROH**

BWCLE/BUCKLEY The Square *W*
O.S. ref. SJ 27246402
C 1885-1933 **CROH**

CAERWYS Bethel *CM*
O.S. ref. SJ 13057292
C 1810-26 + **NLW** 1810-36 **PRO**

CAERWYS Pen-y-cefn *CM*
O.S. ref. SJ 11087517
C 1827-35 + **NLW** 1827-35 **PRO** 1878-1983 **CROR**

CEI CONA/CONNAH'S QUAY Bethel *PM*
O.S. ref. SJ 29456967
C 1902-89 • **CROH** M 1950-7 **CROH**

CEI CONA/CONNAH'S QUAY St Andrew's *W*
O.S. ref. SJ 30166921
C 1933-51 • **CROH**

CEI CONA/CONNAH'S QUAY Seion *W*
O.S. ref. SJ 29786948
C 1933-51 • **CROH**

CHWITFFORDD/WHITFORD Carmel, Carmel *CM*
O.S. ref. SJ 16227671
C 1815-35 + **NLW** 1815-37 **PRO**

CHWITFFORDD/WHITFORD Llannerch-y-môr, Salem *CM*
O.S. ref. SJ 18057888
C 1828-37 **PRO** 1828-35 +, 1919-64 **NLW**

CHWITFFORDD/WHITFORD Rhewl Mostyn, Bethel *CM*
O.S. ref. SJ 15228011
C 1814-36 + **NLW** 1814-37 **PRO**

CHWITFFORDD/WHITFORD Golch, Zion/Seion *Cong.*
O.S. ref. SJ 16457689
B 1862-1988 **CROH** 1862-1988 **CROR**

CHWITFFORDD/WHITFORD Rhewl Mostyn, Cysegr *Cong.*
O.S. ref. SJ 15568033
C 1821-37 **PRO** 1832-1900 **NLW**

CILCAIN   Maes-y-groes, Pentre   *CM*
O.S. ref. SJ 17706523
C 1812-36 **+ NLW**   1812-36 **PRO**

CILCAIN   Garregboeth/Sardis   *CM*
O.S. ref. SJ 18786768
C 1840-1944 **CROH**

CILCAIN   Rhyd-y-mwyn, Salem   *Cong.*
O.S. ref. SJ 19466763
C 1816-37 **PRO**

*CONNAH'S QUAY/CEI CONA   Bethel   *PM*
O.S. ref. SJ 29456967
C 1902-89 • **CROH**   M 1950-7 **CROH**

*CONNAH'S QUAY/CEI CONA   St Andrew's   *W*
O.S. ref. SJ 30166921
C 1933-51 • **CROH**

*CONNAH'S QUAY/CEI CONA   Seion   *W*
O.S. ref. SJ 29786948
C 1933-51 • **CROH**

DYSERTH   Bethel   *CM*
O.S. ref. SJ 05587927
C 1823-37 **PRO**

DYSERTH   Mynydd Seion   *W*
O.S. ref. SJ 05617920
C 1860-1955 **CROH**   1860-1955 **CROR**

FFLINT,Y/FLINT   Fflint, Caersalem   *CM*
O.S. ref. SJ 24337286
C 1826-35 **+ NLW**   1826-37 **PRO**

FFLINT,Y/FLINT   Mynydd y Fflint, Bethesda   *CM*
O.S. ref. SJ 23947041
C 1833-4 **+ NLW**   1833-6 **PRO**

FFLINT,Y/FLINT   St John's   *Cong.*
O.S. ref. SJ 24217294
C 1929-65 **CROH**   M 1932-74 **CROH**   B 1933-75 **CROH**

*FLINT/Y FFLINT   gweler uchod/see above

*HALKYN/HELYGAIN   Scion   *CM*
O.S. ref. SJ 20007249
C 1817-35 **+ NLW**   1817-37 **PRO**

*HALKYN/HELYGAIN Rhes-y-cae, Ebenezer   *Cong.*
O.S. ref. SJ 18827084
C 1808-37 **PRO** 1832-85 **CROH** 1832-85 **CROR**

*HAWARDEN/PENARLÂG Ewloe/Ewlo, Ewloe Green   *CM*
O.S. ref. SJ 28946641
M 1960-91 **NLW**

*HAWARDEN/PENARLÂG   *MN*
O.S. ref. SJ 30136640
C 1863-1956 **CROH** M 1927-86 **CROH**

*HAWARDEN/PENARLÂG Aston, Ewloe/Ewlo   *PM*
O.S. ref. SJ 30126640
C 1902-89 • **CROH**

*HAWARDEN/PENARLÂG Broughton   *PM*
O.S. ref. SJ 33136336
C 1902-89 • **CROH**

HELYGAIN/HALKYN Seion   *CM*
O.S. ref. SJ 20007249
C 1817-35 + **NLW** 1817-37 **PRO**

HELYGAIN/HALKYN Rhes-y-cae, Ebenezer   *Cong.*
O.S. ref. SJ 18827084
C 1808-37 **PRO** 1832-85 **CROH** 1832-85 **CROR**

HOB,YR/HOPE Llanfynydd, Penuel   *Cong.*
O.S. ref. SJ 27765685
C 1820-37 **PRO**

HOB,YR/HOPE Cefn-y-bedd, Bethlehem   *EP*
O.S. ref. SJ 31245581
C 1875-97 **NLW** M 1873-87 **NLW** B 1873-88 **NLW**

HOB,YR/HOPE Pen-y-ffordd, Sion   *EP*
O.S. ref. SJ 30236104
M 1937-70,1972-5 **NLW**

HOB,YR/HOPE Caergwrle   *W*
O.S. ref. SJ 30554747
M 1935-67 **CROH**

*HOLYWELL/TREFFYNNON Rehoboth/Bryn Seion   *CM*
O.S. ref. SJ 18337597
C 1809-36 +,1860-9 **NLW** 1809-37 **PRO**

*HOLYWELL/TREFFYNNON   Seion/Heol y Capel   *Cong.*
O.S. ref. SJ 18497599
C 1788-1837 **NLW**   1800-37 **PRO**

*HOLYWELL/TREFFYNNON   Tabernacl   *Cong.*
O.S. ref. SJ 18787573
C 1867-1986 **CROH**   1952-86 **CROR**

*HOLYWELL/TREFFYNNON   Spring Gardens   *EP*
O.S. ref. SJ 18477592
C 1951-71 **CROH**   1951-71 **CROR**

*HOLYWELL/TREFFYNNON   Chester Road, Pen-dre   *W*
O.S. ref. SJ 18607568
C 1809-37 **PRO**

*HOLYWELL RURAL/TREFFYNNON WLEDIG   Bagillt, Tabernacle   *CM*
O.S. ref. SJ 21677566
C 1827-36 **PRO**   1827-36 +,1913-50 **NLW**   M 1943-8 **NLW**   B 1927-51 **NLW**

*HOLYWELL RURAL/TREFFYNNON WLEDIG   Bagillt, English   *Cong.*
O.S. ref. SJ 21647563
C 1958-66 **CROH**   1958-66 **CROR**

*HOLYWELL RURAL/TREFFYNNON WLEDIG   Bagillt, Salem   *Cong.*
O.S. ref. SJ 21867538
C 1858-76 **CROH**

*HOPE/YR HOB, Llanfynydd, Penuel   *Cong.*
O.S. ref. SJ 27765685
C 1820-37 **PRO**

*HOPE/YR HOB, Cefn-y-bedd, Bethlehem   *EP*
O.S. ref. SJ 31245581
C 1875-97 **NLW**   M 1873-87 **NLW**   B 1873-88 **NLW**

*HOPE/YR HOB, Pen-y-ffordd, Sion   *EP*
O.S. ref. SJ 30236104
M 1937-70,1972-5 **NLW**

*HOPE/YR HOB, Caergwrle   *W*
O.S. ref. SJ 30554747
M 1935-67 **CROH**

LLANASA Gronant, Mynydd Seion   *CM*
O.S. ref. SJ 09558303
C 1818-36 + **NLW**   1818-36 **PRO**   1818-1986 **CROH**   1818-1986 **CROR**
M 1923-4, 1934-53, 1958-68, 1976-83 **NLW**

LLANASA   Gwespyr   *CM*
O.S. ref. SJ 11068315
C 1911-34,1943-60 **NLW**

LLANASA   Trelogan, Disgwylfa   *CM*
O.S. ref. SJ 11698001
C 1818-37 **PRO**   1887-1915 **NLW**   1910-49 **CROH**   1910-49 **CROR**

LLANASA   Ffynnongroyw, Bethania   *W*
O.S. ref. SJ 13608227
C 1904-31 • **CROH**   1904-31 • **CROR**   M 1982 **CROH**

LLANASA   Groes/Bethania   *W*
O.S. ref. SJ 10908162
C 1841-1961 • **CROH**   1841-1961 • **CROR**

LLANASA   Gronant, Bethel   *W*
O.S. ref. SJ 09258336
C 1841-1961 • **CROH**   1841-1961 • **CROR**

LLANASA   Gwespyr   *W*
O.S. ref. SJ 11178304
C 1841-1961 • **CROH**   1841-1961 • **CROR**

LLANASA   Pen-y-ffordd, Peniel   *W*
O.S. ref. SJ 13188190
C 1841-1961 • **CROH**   1841-1961 • **CROR**

LLANASA   Trelogan, Mynydd Seion   *W*
O.S. ref. SJ 11688022
C 1841-1961 • **CROH**   1841-1961 • **CROR**

LLANELWY/ST ASAPH   Gemmig Street, Ebeneser   *CM*
O.S. ref. SJ 03757439
C 1811-37 **PRO**   1812-26 **+ NLW**   1925-38 **CROR**

LLANELWY/ST ASAPH   Bethlehem   *Cong.*
O.S. ref. SJ 03957442
C 1810-37 **PRO**

LLANEURGAIN/NORTHOP   Rhosesmor, Bethel   *CM*
O.S. ref. SJ 21496842
C 1810-35 **+ NLW**   1810-37 **PRO**

LLANEURGAIN/NORTHOP   Salem   *CM*
O.S. ref. SJ 24456836
C 1805-37 **PRO**   1806-45 **NLW**

*MELIDEN/ALLT MELYD   Salem   *W*
O.S. ref. SJ 06088085
C 1856-1971 **CROH**

*MOLD/YR WYDDGRUG   New Street, Bethesda   *CM*
O.S. ref. SJ 23676378
C 1807-36 **+ NLW**   1807-37 **PRO**

*MOLD/YR WYDDGRUG   Bethel   *Cong.*
O.S. ref. SJ 23566377
C 1813-37 **PRO**   1813-63 **NLW**

*MOLD/YR WYDDGRUG   Broncoed, Nerquis Road, Tabernacle   *W*
O.S. ref. SJ 24286270
C 1840-1971 • **CROH**

*MOLD/YR WYDDGRUG   Pen-dref   *W*
O.S. ref. SJ 23546422
C 1840-1971 • **CROH**   M 1899-1982 **CROH**

*MOLD/YR WYDDGRUG   Wrexham Street, Farm Yard   *W*
O.S. ref. SJ 23866361
C 1840-1971 • **CROH**

*MOLD RURAL/WYDDGRUG WLEDIG   Leeswood/Coed-llai, Bethel   *CM*
O.S. ref. SJ 26896010
C 1821-36 **+ NLW**   1821-36 **PRO**   1866-1985 **CROH**   1866-1985 **CROR**
M 1944-84 **CROH**   1944-84 **CROR**

*MOLD RURAL/WYDDGRUG WLEDIG   Llynypandy   *CM*
O.S. ref. SJ 20256555
C 1822-37 **PRO**   1827-35 **+ NLW**

*MOLD RURAL/WYDDGRUG WLEDIG   Mynydd Isa, Ebenezer   *CM*
O.S. ref. SJ 25586386
C 1869-86,1902-9 **CROH**

NANNERCH   Penyfelin/Pentrefelin   *CM*
O.S. ref. SJ 15496963
C 1820-36 **+ NLW**   1820-37 **PRO**

NANNERCH   Waundomarch/Waundynnel   *Cong.*
O.S. ref. SJ 15827016
C 1814-37 **PRO**

NERCWYS/NERQUIS   Zoar   *CM*
O.S. ref. SJ 23196096
C 1829 **PRO**

*NERQUIS/NERCWYS gweler uchod/see above

*NEWMARKET/TRELAWNYD   Capel Mawr/Ebeneser/Capel John Wynne   *Cong.*
O.S. ref. SJ 09117979
C 1796-1837 **PRO**   1796-1842, 1953-68 **CROH**   1796-1842, 1953-68 **CROR**

*NORTHOP/LLANEURGAIN   Rhosesmor, Bethel   *CM*
O.S. ref. SJ 21496842
C 1810-35 + **NLW**   1810-37 **PRO**

*NORTHOP/LLANEURGAIN   Salem   *CM*
O.S. ref. SJ 24456836
C 1805-37 **PRO**   1806-45 **NLW**

*OVERTON/OWRTYN   gweler isod/see below

OWRTYN/OVERTON   Knolton   *PM*
O.S. ref. SJ 37853896
C 1867-1973 • **SRO**

PENARLÂG/HAWARDEN   Ewlo/Ewloe, Ewloe Green   *CM*
O.S. ref. SJ 28946641
M 1960-91 **NLW**

PENARLÂG/HAWARDEN   *MN*
O.S. ref. SJ 30136640
C 1863-1956 **CROH**   M 1927-86 **CROH**

PENARLÂG/HAWARDEN   Aston, Ewlo/Ewloe   *PM*
O.S. ref. SJ 30126640
C 1902-89 • **CROH**

PENARLÂG/HAWARDEN   Broughton   *PM*
O.S. ref. SJ 33136336
C 1902-89 • **CROH**

PRESTATYN   Rehoboth   *CM*
O.S. ref. SJ 06778269
C 1825-37 **PRO**

PRESTATYN   Bethel   *W*
O.S. ref. SJ 06688273
C 1850-1977 • **CROH**

PRESTATYN   Marine Road, Horeb   *W*
O.S. ref. SJ 06648329
C 1850-1977 • **CROH**

RHUDDLAN   Seion   *Bap.*
O.S. ref. SJ 02587811
C 1827-37 **PRO**

RHUDDLAN   Ebenezer   *CM*
O.S. ref. SJ 02437806
C 1815-37 **PRO**   1841-1961 **NLW**

RHUDDLAN   Gosen   *Cong.*
O.S. ref. SJ 02537827
C 1810-37 **PRO**

RHUDDLAN   Tabernacle   *W*
O.S. ref. SJ 02297816
C 1860-1900 **CROH**   1860-1900 **CROR**

RHYL,Y   Clwyd Street   *CM*
O.S. ref. SJ 01008140
C 1855-1937 **NLW**   1938-87 **CROH**   M 1938-87 **CROH**   B 1938-87 **CROH**

RHYL,Y   Morfa Bach   *CM*
O.S. ref. SJ 01258098
C 1967-79 **CROH**   M 1966-81 **CROH**   B 1966-81 **CROH**

RHYL,Y   Warren Road, Salem   *CM*
O.S. ref. SJ 00298081
C 1913-21 **CROR**   B 1913-21 **CROR**

RHYL,Y   Christchurch   *Cong.*
O.S. ref. SJ 00708137
M 1883-8 **CROH**   1883-8 **CROR**

RHYL,Y   Brighton Road, Brunswick   *W*
O.S. ref. SJ 01068140
C 1859-1978 **CROH**   1859-1978 **CROR**   M 1971-86 **CROH**

*ST ASAPH/LLANELWY · Gemmig Street, Ebeneser   *CM*
O.S. ref. SJ 03757439
C 1811-37 **PRO**   1812-26 + **NLW**   1925-38 **CROR**

*ST ASAPH/LLANELWY   Bethlehem   *Cong.*
O.S. ref. SJ 03957442
C 1810-37 **PRO**

SALTNEY   Saltney Ferry   *CM*
O.S. ref. SJ 36866538
C 1895-9 **NLW**

SALTNEY Queensferry, Garden City   *Cong.*
O.S. ref. SJ 32446886
C 1912-20, 1950-86 **CROH**   M 1972-86 **CROH**   B 1950-86 **CROH**

SALTNEY Saltney Ferry, Mold Junction   *EP*
O.S. ref. SJ 36866554
C 1895-9 **NLW**

SALTNEY Sandycroft   *EP*
O.S. ref. SJ 33286704
M 1965-9, 1971-83 **NLW**

SALTNEY Queensferry, Zion   *PM*
O.S. ref. SJ 31766823
C 1949-84 **CROH**

SALTNEY Queensferry, Trinity   *W*
O.S. ref. SJ 31746812
C 1911-60 **CROH**

TREFFYNNON/HOLYWELL Rehoboth/Bryn Seion   *CM*
O.S. ref. SJ 18337597
C 1809-36 +, 1860-9 **NLW**   1809-37 **PRO**

TREFFYNNON/HOLYWELL Seion/Heol y Capel   *Cong.*
O.S. ref. SJ 18497599
C 1788-1837 **NLW**   1800-37 **PRO**

TREFFYNNON/HOLYWELL Tabernacl   *Cong.*
O.S. ref. SJ 18787573
C 1867-1986 **CROH**   1952-86 **CROR**

TREFFYNNON/HOLYWELL Spring Gardens   *EP*
O.S. ref. SJ 18477592
C 1951-71 **CROH**   1951-71 **CROR**

TREFFYNNON/HOLYWELL Chester Road, Pen-dre   *W*
O.S. ref. SJ 18607568
C 1809-37 **PRO**

TREFFYNNON WLEDIG/HOLYWELL RURAL Bagillt, Tabernacle   *CM*
O.S. ref. SJ 21677566
C 1827-36 **PRO**   1827-36 +, 1913-50 **NLW**   M 1943-8 **NLW**   B 1927-51 **NLW**

TREFFYNNON WLEDIG/TREFFYNNON RURAL Bagillt, English   *Cong.*
O.S. ref. SJ 21647563
C 1958-66 **CROH**   1958-66 **CROR**

TREFFYNNON WLEDIG/HOLYWELL RURAL   Bagillt, Salem   *Cong.*
O.S. ref. SJ 21867538
C 1858-76 **CROH**

TRELAWNYD/NEWMARKET   Capel Mawr/Ebeneser/Capel John Wynne   *Cong.*
O.S. ref. SJ 09117979
C 1796-1837 **PRO**   1796-1842,1953-68 **CROH**   1796-1842,1953-68 **CROR**

TREUDDYN   Jerusalem/Rhos   *CM*
O.S. ref. SJ 24635791
C 1828-37 **PRO** 1816 **+ NLW**   1926-70 **CROH** 1926-70 **CROR** M 1930-40, 1971-88
CROH   1930-40, 1971-88 **CROR** B 1926-70 **CROH**   1926-70 **CROR**

WAUN,Y   Mission   *CM*
O.S. ref. SJ 06007498
C 1823-35 **PRO**

WAUN,Y   Waungoleugoed   *Cong.*
O.S. ref. SJ 06177312
C 1810-37 **PRO**

*WHITFORD/CHWITFFORDD   Carmel, Carmel   *CM*
O.S. ref. SJ 16227671
C 1815-35 **+ NLW**   1815-37 **PRO**

*WHITFORD/CHWITFFORDD   Llannerch-y-môr, Salem   *CM*
O.S. ref. SJ 18057888
C 1828-37 **PRO**   1828-35 +, 1919-64 **NLW**

*WHITFORD/CHWITFFORDD   Rhewl Mostyn, Bethel   *CM*
O.S. ref. SJ 15228011
C 1814-36 **+ NLW**   1814-37 **PRO**

*WHITFORD/CHWITFFORDD   Golch, Zion/Seion   *Cong.*
O.S. ref. SJ 16457689
B 1862-1988 **CROH**   1862-1988 **CROR**

*WHITFORD/CHWITFFORDD   Rhewl Mostyn, Cysegr   *Cong.*
O.S. ref. SJ 15568033
C 1821-37 **PRO**   1832-1900 **NLW**

WYDDGRUG,YR/MOLD   New Street, Bethesda   *CM*
O.S. ref. SJ 23676378
C 1807-36 **+ NLW**   1807-37 **PRO**

WYDDGRUG,YR/MOLD   Bethel   *Cong.*
O.S. ref. SJ 23566377
C 1813-37 **PRO**   1813-63 **NLW**

WYDDGRUG,YR/MOLD   Broncoed, Nerquis Road, Tabernacle   *W*
O.S. ref. SJ 24286270
C 1840-1971 • **CROH**

WYDDGRUG,YR/MOLD   Pen-dref   *W*
O.S. ref. SJ 23546422
C 1840-1971 • **CROH**   M 1899-1982 **CROH**

WYDDGRUG,YR/MOLD   Wrexham Street, Farm Yard   *W*
O.S. ref. SJ 23866361
C 1840-1971 • **CROH**

WYDDGRUG WLEDIG/MOLD RURAL   Coed-llai/Leeswood, Bethel   *CM*
O.S. ref. SJ 26896010
C 1821-36 **+ NLW**   1821-36 **PRO**   1866-1985 **CROH**   1866-1985 **CROR**
M 1944-84   **CROH**   1944-84 **CROR**

WYDDGRUG WLEDIG/MOLD RURAL   Llynypandy   *CM*
O.S. ref. SJ 20256555
C 1822-37 **PRO**   1827-35 **+ NLW**

WYDDGRUG WLEDIG/MOLD RURAL   Mynydd Isa, Ebenezer   *CM*
O.S. ref. SJ 25586386
C 1869-86,1902-9 **CROH**

YSGEIFIOG   Babell   *CM*
O.S. ref. SJ 15527390
C 1819-36 **+ NLW**   1819-36 **PRO**

YSGEIFIOG   Licswm/Lixwm, Berthengron/Berthen   *CM*
O.S. ref. SJ 16787146
C 1807-37 **CROH**   1812-35 **+ NLW**   1812-37 **PRO**

MAESYFED/RADNORSHIRE

ABATY CWM-HIR/ABBEYCWMHIR   Bwlchysarnau   *Bap.*
O.S. ref. SO 02967465
M 1983 **PSRO**

*ABBEYCWMHIR/ABATY CWM-HIR   gweler uchod/see above

BOCHRWYD/BOUGHROOD   Llanwhimp   *PM*
O.S. ref. SO 14174042
M 1959-63,1976 **NLW**

*BOUGHROOD/BOCHRWYD   gweler uchod/see above

CLAS-AR-WY, Y/GLASBURY   Maesyronnen   *Cong.*
O.S. ref. SO 17664109
C 1760,1767,1801-37 **PRO**

*GLASBURY/Y CLAS-AR-WY   gweler uchod/see above

*KNIGHTON/TREFYCLO   Norton Street   *Bap.*
O.S. ref. SO 28457237
M 1944-66 **PSRO**

*KNIGHTON/TREFYCLO   Broad Street   *PM*
O.S. ref. SO 28587228
C 1856-1920 • **HRO**   M 1937-80 **NLW**

*KNIGHTON/TREFYCLO   West Street   *W*
O.S. ref. SO 28507241
C 1860-1943 • **HRO**   M 1928-44 **NLW**   B 1948 **HRO**

LLANANDRAS/PRESTEIGN   Hereford Street   *Bap.*
O.S. ref. SO 31566428
M 1960-2 **PSRO**

LLANANNO   Maesyrhelem   *Bap.*
O.S. ref. SO 08737650
C 1797-1837 **NLW**

LLANBADARN FAWR   Pen-y-bont   *CM*
O.S. ref. SO 11386416
C 1823-37 **PRO**

LLANBISTER   *W*
O.S. ref. SO 10817307
C 1837-87 • **PSRO**

LLANDRINDOD/LLANDRINDOD WELLS   St Johns   W
O.S. ref. SO 06076098
M 1911-57 **NLW**

LLANLLŶR-YN-RHOS/LLANYRE   Newbridge   W
O.S. ref. SO 01385846
C 1837-87 • **PSRO**

*LLANYRE/LLANLLŶR-YN-RHOS   gweler uchod/see above

NANTMEL   Faenor, Carmel   *Cong.*
O.S. ref. SO 05426657
C 1831-7 **PRO**

*OLD RADNOR/PENCRAIG   gweler isod/see below

PENCRAIG/OLD RADNOR   Gore   *Cong.*
O.S. ref. SO 25895910
C 1805-36 **PRO**

*PRESTEIGN/LLANANDRAS   Hereford Street   *Bap.*
O.S. ref. SO 31566428
M 1960-2 **PSRO**

RHAEADR GWY/RHAYADR   Bethel   *Bap.*
O.S. ref. SN 97206795
M 1982-4 **PSRO**

RHAEADR GWY/RHAYADR   Bethany/Bethania   *CM*
O.S. ref. SN 96946804
C 1810-30 **NLW**   1810-36 **PRO**

RHAEADR GWY/RHAYADR   Tabernacle   *Cong.*
O.S. ref. SN 96946789
C 1912-79 **NLW**   M 1908-80 **NLW**   B 1875-1980 **NLW**

RHAEADR GWY/RHAYADR   W
O.S. ref. SN 96986798
C 1837-87 • **PSRO**

*RHAYADR/RHAEADR GWY   gweler uchod/see above

SAINT HARMON   Sychnant   *CM*
O.S. ref. SN 97417743
C 1823-8 **NLW**   1826-37 **PRO**

TREFYCLO/KNIGHTON   Norton Street   *Bap.*
O.S. ref. SO 28457237
M 1944-66 **PSRO**

TREFYCLO/KNIGHTON   Broad Street   *PM*
O.S. ref. SO 28587228
C 1856-1920 • **HRO**   M 1937-80 **NLW**

TREFYCLO/KNIGHTON   West Street   *W*
O.S. ref. SO 28507241
C 1860-1943 • **HRO**   M 1928-44 **NLW**   B 1948 **HRO**

MEIRIONNYDD/MERIONETH

BALA, Y   Capel Tegid/Bethel   *CM*
O.S. ref. SH 92713591
C 1805-37 **PRO**   1805-42,1859-84 **NLW**   M 1927 **NLW**   B 1880 **NLW**

BALA, Y   *Cong.*
O.S. ref. SH 92743599
B 1770-1839 **GASD**

*BARMOUTH/BERMO   gweler isod/see below

BERMO/BARMOUTH   Caersalem/Capel Mawr   *CM*
O.S. ref. SH 61441566
C 1811-37 **PRO**   M 1911-82 **NLW**

BERMO/BARMOUTH   Siloam   *Cong.*
O.S. ref. SH 61261583
C 1827-36 **PRO**

BERMO/BARMOUTH   Ebenezer   *W*
O.S. ref. SH 61451571
C 1811-37 **PRO**   1874-9 • **GASD**   M 1939-50 **GASD**

BETWS GWERFUL GOCH   Gro   *CM*
O.S. ref. SJ 02874636
C 1812-34 **PRO**   1914-42 **NLW**   M 1913-40 **NLW**   B 1914-42, 1949 **NLW**

BRITHDIR AC ISLAW'R DREF   Brithdir   *Cong.*
O.S. ref. SH 76831872
C 1807-37 **PRO**

CORWEN   Glyndyfrdwy   *Bap.*
O.S. ref. SJ 15434259
C 1815-61 **NLW**

CORWEN   Glyndyfrdwy/Tŷ Cerrig   *CM*
O.S. ref. SJ 14924279
C 1832-7 **PRO**   1835 **CROR**

CORWEN   Seion   *CM*
O.S. ref. SJ 07764352
C 1809-37 **PRO**   M 1916 **NLW**

CORWEN   Rehoboth   *W*
O.S. ref. SJ 08004344
C 1853-1917 **GASD**

DOLGELLAU   Judah   *Bap.*
O.S. ref. SH 72621766
C 1800-36 **PRO**

DOLGELLAU Bethel   *CM*
O.S. ref. SH 72851784
C 1910 **NLW**

DOLGELLAU English   *CM*
O.S. ref. SH 72931784
C 1877-1953 **GASD** M 1944-58,1962-9,1973-82 **NLW**

DOLGELLAU Salem   *CM*
O.S. ref. SH 72581766
C 1807-37 **PRO** 1811-1909, 1922-49 + **GASD** 1910 **NLW**

DOLGELLAU Tabernacl/Hen Gapel   *Cong.*
O.S. ref. SH 72691771
C 1795-1837 **PRO** 1795-1891 **GASD**

DOLGELLAU Ebenezer   *W*
O.S. ref. SH 72841767
C 1811-37 **PRO** 1843-1915 **GASD**

FFESTINIOG Blaenau Ffestiniog, Bethesda   *CM*
O.S. ref. SH 70534487
C 1826-37 **PRO**

FFESTINIOG Blaenau Ffestiniog, Maenofferen   *CM*
O.S. ref. SH 70234565
C 1902-57 **NLW**

FFESTINIOG Blaenau Ffestiniog, Rhiw   *CM*
O.S. ref. SH 69504630
C 1925-66 **GASD**

FFESTINIOG Tanygrisiau, Bethel   *CM*
O.S. ref. SH 68764507
C 1843-9 **UWB**

FFESTINIOG Blaenau Ffestiniog, Bethania   *Cong.*
O.S. ref. SH 70714515
M 1900-45,1947-70 **GASD**

FFESTINIOG Tryfal   *M*
O.S. ref. SH 71734338
C 1846-50 **NLW**

FFESTINIOG Blaenau Ffestiniog, Ebenezer   *W*
O.S. ref. SH 70274582
C 1862-7 • **GASD**

GWYDDELWERN Cynfal, Bethel *CM*
O.S. ref. SJ 04024872
C 1914-42 **NLW** M 1913-40 **NLW** B 1914-42 **NLW**

GWYDDELWERN Moriah *CM*
O.S. ref. SJ 07624695
C 1824-34 **PRO**

LLANABER Cutiau *Cong.*
O.S. ref. SH 63311745
C 1809,1818-37 **PRO**

LLANABER Y Bont-ddu, Pen-nebo *W*
O.S. ref. SH 66981874
C 1874-9 • **GASD**

LLANBEDR Gwynfryn *CM*
O.S. ref. SH 59742722
C 1810-37 **PRO**

LLANBEDR Bezer *W*
O.S. ref. SH 59652708
C 1874-9 • **GASD**

LLANDANWG Harlech, Ainon *Bap.*
O.S. ref. SH 58113096
C 1890-5 **UWB** B 1890-5 **UWB**

LLANDANWG Harlech, Moriah *CM*
O.S. ref. SH 58053104
C 1812-35 **PRO**

LLANDANWG Harlech, Rehoboth *SB*
O.S. ref. SH 58333119
C 1823-37 **UWB** B 1887-9 **UWB**

LLANDANWG Harlech, Seion *W*
O.S. ref. SH 58163111
C 1874-9 • **GASD**

LLANDDERFEL Saron *CM*
O.S. ref. SH 98203696
C 1811-37 **PRO** M 1899-1969 **NLW** B 1915 **NLW**

LLANDDERFEL Bethel *Cong.*
O.S. ref. SH 98793981
C 1816-37 **PRO**

LLANDECWYN   Brontecwyn   *W*
O.S. ref. SH 62733703
C 1879-1942 • **GASD**

LLANDRILLO   Salem/Capel y Rhos   *CM*
O.S. ref. SJ 03363696
C 1820-37 **PRO**

LLANDRILLO   Hananeel   *Cong.*
O.S. ref. SJ 03633718
C 1818-37 **PRO**

LLANEGRYN   Capel Coch   *CM*
O.S. ref. SH 60180548
C 1826-37 **PRO**

LLANEGRYN   Nazareth   *W*
O.S. ref. SH 60160542
C 1819-37 **PRO**

LLANELLTUD   Peniel   *CM*
O.S. ref. SH 71451948
C 1812-89 **GASD +** 1816-36 **PRO**

LLANELLTUD   Soar   *CM*
O.S. ref. SH 68951978
C 1812-89 + **GASD**

LLANELLTUD   Capel Coffa/Penygarnedd   *Cong.*
O.S. ref. SH 71511948
C 1807-37 **PRO**

LLANENDDWYN   Dyffryn, Horeb   *CM*
O.S. ref. SH 58812323
C 1812-37 **PRO**   B 1813-37, 1879-1921 **GASD**

LLANENDDWYN   Dyffryn, Rehoboth   *Cong.*
O.S. ref. SH 58482398
C 1829-37 **PRO**

LLANENDDWYN   Dyffryn, Shiloh   *W*
O.S. ref. SH 58682314
C 1874-9 • **GASD**

LLANFACHRETH   Bethel/Capel y Llan   *CM*
O.S. ref. SH 75522247
C 1818-37 **PRO**

LLANFACHRETH   Carmel   *CM*
O.S. ref. SH 77452162
C 1834-7 **PRO**

LLANFACHRETH　Rhyd-y-main　*Cong.*
O.S. ref. SH 80422216
C 1807-37 **PRO**　1840-2 **UWB**　B 1840-2 **UWB**

LLANFIHANGEL-Y-PENNANT　Abergynolwyn, Capel y Cwrt/Jerusalem　*CM*
O.S. ref. SH 67570713
C 1815-37 **PRO**

LLANFIHANGEL-Y-PENNANT　Abergynolwyn　*W*
O.S. ref. SH 67790711
C 1811-37 **PRO**

LLANFOR　Cefnddwysarn　*CM*
O.S. ref. SH 96563847
C 1823-37 **PRO**

LLANFOR　Cwm Tirmynach　*CM*
O.S. ref. SH 91024095
C 1823-37 **PRO**　1911-26 **NLW**　M 1912-27 **NLW**

LLANFOR　Llawrybetws, Glan'rafon　*CM*
O.S. ref. SJ 02364254
C 1810-37 **PRO**

LLANFOR　Pant-glas　*CM*
O.S. ref. SH 93373809
C 1913-21 **NLW**　M 1912-25 **NLW**

LLANFOR　Rhydywernen　*Cong.*
O.S. ref. SH 97124074
C 1821-37 **PRO**

LLANFROTHEN　Ramoth　*Bap.*
O.S. ref. SH 61874258
C 1786-1837 **NLW**　1786-1837 **UWB**　B 1791-3,1853-4 **UWB**　1799-1912 **NLW**

LLANFROTHEN　Siloam　*CM*
O.S. ref. SH 62144168
C 1810-37 **NLW**　1810-37 **PRO**　1810-37 **UWB**

LLANGAR　Cynwyd, Bethania　*Bap.*
O.S. ref. SJ 05744104
C 1843-1943 **NLW**

LLANGAR　Cynwyd, Bethel　*CM*
O.S. ref. SJ 05724130
C 1814-37 **PRO**

LLANGELYNNIN Arthog, Seion   *CM*
O.S. ref. SH 64391458
C 1809-36 **PRO**

LLANGELYNNIN Y Friog/Fairbourne, Saron   *CM*
O.S. ref. SH 61921273
C 1865-71,1889 **NLW**

LLANGELYNNIN Llwyngwril, Bethel   *CM*
O.S. ref. SH 59110953
C 1811-35 **PRO**

LLANGELYNNIN Rhoslefain, Bwlch   *CM*
O.S. ref. SH 57180534
C 1811-37 **PRO** 1811-88 **+ GASD**

LLANGELYNNIN Arthog, Salem   *W*
O.S. ref. SH 64741488
C 1811-37 **PRO** 1874-9 • **GASD**

LLANGYWER Cefnddwygraig   *CM*
O.S. ref. SH 93113365
C 1924-36 **NLW**

LLANGYWER Glyngywer/Capel y Glyn   *CM*
O.S. ref. SH 91233155
C 1813-37 **PRO** 1813-65 **NLW** B 1929 **NLW**

LLANSANFFRAID GLYNDYFRDWY Carrog, Seion/Peniel   *CM*
O.S. ref. SJ 11434372
C 1832-7 **PRO**

LLANUWCHLLYN Y Pandy   *CM*
O.S. ref. SH 87772994
C 1807-35 **PRO** B 1856-70 **NLW**

LLANUWCHLLYN Hen Gapel/Ebenezer/Rhosyfedwen   *Cong.*
O.S. ref. SH 86853101
C 1814-37 **PRO**

LLANYCIL Arennig   *CM*
O.S. ref. SH 83353927
C 1907-10 **NLW**

LLANYCIL Capel Celyn   *CM*
O.S. ref. SH 85044080
C 1811-1902 **NLW** 1812-36 **PRO** B 1874-1901 **GASD** 1874-1901 **NLW**

LLANYCIL   Llidiardau   *CM*
O.S. ref. SH 87403817
C 1812-37 **PRO**   1903-27 **NLW**   M 1912-27 **NLW**

LLANYCIL   Parc   *CM*
O.S. ref. SH 87643390
C 1816-37 **PRO**   1816-85 **NLW**

LLANYCIL   Tal-y-bont   *CM*
O.S. ref. SH 90073787
C 1800-37 **PRO**   1918-20 **NLW**   M 1912-20 **NLW**

LLANYMAWDDWY   Abercywarch   *CM*
O.S. ref. SH 86841579
C 1811-37 **NLW**

LLANYMAWDDWY   Bryn-coch   *W*
O.S. ref. SH 89241764
C 1811-37 **PRO**   1897-1966 • **NLW**

MAENTWROG   Maentwrog Uchaf/Gellilydan   *CM*
O.S. ref. SH 68453981
C 1811-37 **PRO**

MAENTWROG   Glan-y-wern   *Cong.*
O.S. ref. SH 67783992
C 1812-37 **PRO**

MALLWYD   *CM*
O.S. ref. SH 86321244
C 1811-37 **NLW**   1811-37 **PRO**

MALLWYD   Aberangell, Bethania/Hebron   *CM*
O.S. ref. SH 84571005
C 1866-1960 **NLW**

MALLWYD   Dinas Mawddwy, Bethel   *CM*
O.S. ref. SH 85841485
C 1879-1951 **NLW**

MALLWYD   Dinas Mawddwy, Ebenezer   *Cong.*
O.S. ref. SH 85861476
C 1797-1837 **PRO**

MALLWYD   Dinas Mawddwy   *W*
O.S. ref. SH 85801486
C 1897-1966 • **NLW**

PENNAL   *CM*
O.S. ref. SH 69950045
C 1802-36 **PRO**   1811-37 **NLW**

PENNAL   *W*
O.S. ref. SH 70090037
C 1808-85,1895-7 **NLW**   1820 **PRO**

PENRHYNDEUDRAETH   Tabernacl   *W*
O.S. ref. SH 61093906
C 1879-1942 • **GASD**

TAL-Y-LLYN Corris, Rehoboth   *CM*
O.S. ref. SH 75680806
C 1812-37 **PRO**

TAL-Y-LLYN Corris, Shiloh   *W*
O.S. ref. SH 75460794
C 1808-85,1895-7 **NLW**

TALSARNAU   Bethel   *CM*
O.S. ref. SH 61163591
C 1807-37 **PRO**

TALSARNAU   Soar   *W*
O.S. ref. SH 61653540
C 1879-1942 • **GASD**

TRAWSFYNYDD   Moriah   *CM*
O.S. ref. SH 70733562
C 1810-37 **PRO**

TRAWSFYNYDD   Pen-y-stryd   *Cong.*
O.S. ref. SH 72683150
C 1790-1837 **PRO**

TYWYN Aberdyfi, Tabernacle   *CM*
O.S. ref. SN 61559604
C 1820-36 **PRO**   1906-75 **NLW**   M 1909-68 **NLW**   B 1906-77 **NLW**

TYWYN   Bethel   *CM*
O.S. ref. SH 58670068
C 1814-37 **PRO**   1811-37,1875-97 **NLW**   1812-1909,1922-49,1960 + **GASD**
M 1873-87 **NLW**   B 1873-88 **NLW**

TYWYN Bryn-crug, Bethlehem   *CM*
O.S. ref. SH 61010333
C 1808-36 **PRO**

TYWYN   Bryniau   *CM*
O.S. ref. SN 68619988
C 1812-1909, 1922-49, 1960 **+ GASD**

TYWYN   English   *CM*
O.S. ref. SH 58710088
C 1812-1909, 1922-49, 1960 **+ GASD**

TYWYN   Maethlon   *CM*
O.S. ref. SN 62769853
C 1812-1909, 1922-49, 1960 **+ GASD**

TYWYN   Bethesda   *Cong.*
O.S. ref. SH 58590081
C 1807-37 **PRO**   1809-1904 **NLW**   M 1840-1902 **NLW**

TYWYN   Aberdyfi, Bethel   *W*
O.S. ref. SN 61439605
C 1811-37 **PRO**

MÔN / ANGLESEY

ABERFFRO/ABERFFRAW   Talar Rodio   *CM*
O.S. ref. SH 35436901
C 1806-37 + **GASL** 1806-37 **PRO**

ABERFFRO/ABERFFRAW   Gilead   *W*
O.S. ref. SH 35516891
C 1941-59 **GASL**

AMLWCH   Salem   *Bap.*
O.S. ref. SH 44289268
C 1782-1820 **NLW**   B 1823 **NLW**

AMLWCH   Bethesda/Capel Mawr   *CM*
O.S. ref. SH 43699268
C 1807-30 + **GASL** 1807-30 **PRO**

AMLWCH Burwen, Rehoboth   *CM*
O.S. ref. SH 41919321
C 1825-32 **PRO**

AMLWCH   Carmel   *Cong.*
O.S. ref. SH 45079306
C 1790-1837 **PRO**

AMLWCH   *W*
O.S. ref. SH 44439306
C 1838-1974 • **GASL**

AMLWCH   English   *W*
O.S. ref. SH 44359304
C 1842-1974 • **GASL**

*BEAUMARIS/BIWMARES gweler isod/see below

BIWMARES/BEAUMARIS Rosemary Lane, Horeb   *Bap.*
O.S. ref. SH 60367605
C 1783-1825 **NLW**

BIWMARES/BEAUMARIS English   *CM*
O.S. ref. SH 60487608
M 1982-5 **NLW**

BIWMARES/BEAUMARIS Y Drindod/Trinity   *CM*
O.S. ref. SH 60377601
C 1802-45 + **GASL** 1805-37 **PRO**

BIWMARES/BEAUMARIS Seion   *Cong.*
O.S. ref. SH 60427603
C 1791-1837 **PRO**

BIWMARES/BEAUMARIS Ebenezer   *W*
O.S. ref. SH 60547609
C 1842-93 **GASL**

BODEDERN Tabernacle   *Bap.*
O.S. ref. SH 33388023
C 1823-4 **NLW**

BODEDERN Caergeiliog   *CM*
O.S. ref. SH 31137832
C 1806-7 + **GASL** 1806-37 **PRO**

BODEDERN Pen-y-bryn   *CM*
O.S. ref. SH 33298021
C 1810-36 **PRO** 1811-37 **GASL**

BODEDERN Saron   *Cong.*
O.S. ref. SH 33438034
C 1801-45 **GASL**

CAERGYBI/HOLYHEAD Bethel   *Bap.*
O.S. ref. SH 24468240
C 1779-1825 **NLW** 1825-61 **UWB** B 1792-1818 **NLW**

CAERGYBI/HOLYHEAD Mill Street/Hyfrydle   *CM*
O.S. ref. SH 24478254
C 1806-32 **GASL** 1806-37 **PRO**

CAERGYBI/HOLYHEAD Tabernacle   *Cong.*
O.S. ref. SH 24538248
C 1809-37 **PRO**

CAERGYBI/HOLYHEAD Waterside, Bethania   *W*
O.S. ref. SH 24938287
C 1842-1974 • **GASL**

CAERGYBI/HOLYHEAD Bethel   *W*
O.S. ref. SH 24788268
C 1842-1974 • **GASL**

CAERGYBI/HOLYHEAD Cross Street   *W*
O.S. ref. SH 24818295
C 1842-1974 • **GASL**

CAERGYBI/HOLYHEAD Gwynfa *W*
O.S. ref. SH 24498218
C 1888-1960 • **GASL** M 1916-58 **GASL**

CAERGYBI/HOLYHEAD Llain-goch *W*
O.S. ref. SH 23028254
C 1851-1974 • **GASL**

COEDANA Peniel *Cong.*
O.S. ref. SH 42668355
C 1802-37 **PRO**

*HOLYHEAD/CAERGYBI gweler uchod/see above CAERGYBI/HOLYHEAD

LLANALLGO Paradwys *CM*
O.S. ref. SH 50408540
C 1805-37 + **GASL** 1805-37 **PRO**

LLANALLGO Moelfre, Carmel *Cong.*
O.S. ref. SH 51378652
C 1825-36 **PRO**

LLANBADRIG Carreg-lefn, Bethlehem *CM*
O.S. ref. SH 38328915
C 1807-37 + **GASL** 1807-37 **PRO**

LLANBADRIG Cemaes, Bethesda *CM*
O.S. ref. SH 36539308
C 1806-37 **PRO** 1809-37 + **GASL**

LLANBEDR-GOCH Glasinfryn *CM*
O.S. ref. SH 50858086
C 1810-34 + **GASL** 1810-35 **PRO**

LLANDDANIEL-FAB Cana *Cong.*
O.S. ref. SH 49437037
C 1825-37 **PRO**

LLANDDEUSANT Elim *CM*
O.S. ref. SH 35488468
C 1824-9 **GASL** 1824-37 **PRO**

LLANDDONA Peniel/Dona *CM*
O.S. ref. SH 57427942
C 1805-33 + **GASL** 1805-33 **PRO**

LLANDDYFNAN Talwrn, Capel Nyth Clyd *CM*
O.S. ref. SH 48627690
C 1803-37 +, 1903-21 **GASL** 1803-37 **PRO**

LLANDEGFAN Barachia/Beracia *CM*
O.S. ref. SH 56977471
C 1817-37 **PRO** 1819-45 **+ GASL**

LLANDRYGARN Seion *CM*
O.S. ref. SH 39498009
C 1807-37 **GASL** 1807-37 **PRO** 1906-23 **NLW** B 1906-17 **NLW**

LLANDYFRYDOG Parc *CM*
O.S. ref. SH 44838694
C 1814-37 **+ GASL** 1813-37 **PRO**

LLANDYSILIO Porthaethwy/Menai Bridge, Pen-nebo *W*
O.S. ref. SH 55527218
C 1842-1935 **GASL**

LLANEILIAN Pengorffwysfa, Siloh *CM*
O.S. ref. SH 46699205
C 1826-37 **PRO** 1833-7 **+ GASL**

LLANFACHRAETH Pont-yr-arw *Bap.*
O.S. ref. SH 31588218
C 1779-1825 **NLW**

LLANFAELOG Bryn-du *CM*
O.S. ref. SH 34487283
C 1807-27 **PRO** 1808-28 **+ GASL**

LLANFAELOG Maelog/Rehoboth *Cong.*
O.S. ref. SH 33447325
C 1801-45 **GASL** 1828-37 **PRO**

LLANFAETHLU Soar *Bap.*
O.S. ref. SH 31968636
C 1779-1819 **NLW** B 1782-1814 **NLW**

LLANFAETHLU Ebenezer *CM*
O.S. ref. SH 31338688
C 1840-97 **UWB**

LLANFAIR MATHAFARN EITHAF Seion *Bap.*
O.S. ref. SH 50658308
C 1785-97 **NLW**

LLANFAIR MATHAFARN EITHAF Cefn-iwrch *CM*
O.S. ref. SH 47837935
C 1872-1930 **NLW**

LLANFAIR MATHAFARN EITHAF   Tabernacle   *CM*
O.S. ref. SH 50448232
C 1810-37 **PRO**

LLANFAIR MATHAFARN EITHAF   Ty'n-y-gongl   *CM*
O.S. ref. SH 51428291
C 1822-9 + **GASL**   1822-9 **PRO**

LLANFAIRPWLL   Pencarneddi   *Bap.*
O.S. ref. SH 51067248
C 1811-37 **PRO**

LLANFAIRPWLL   Bethpeor   *CM*
O.S. ref. SH 52737177
C 1811-37 + **GASL**   1811-37 **PRO**   1867-99, 1903-7 **NLW**

LLANFAIRPWLL   Salem   *W*
O.S. ref. SH 52387167
C 1844-1956 **GASL**

LLANFECHELL   Garreg-fawr   *Bap.*
O.S. ref. SH 36308851
C 1817-23 **NLW**

LLANFIGAEL/LLANFIGEL   Ty'n-y-maen   *CM*
O.S. ref. SH 32988350
C 1808-36 + **GASL**   1808-36 **PRO**

LLANFIHANGEL TRE'R-BEIRDD   Tŷ Mawr   *CM*
O.S. ref. SH 46048247
C 1792,1806-37 **PRO**   1792, 1807-37 + **GASL**

LLANFIHANGEL TRE'R-BEIRDD Maenaddwyn, Hebron   *Cong.*
O.S. ref. SH 45518414
C 1803-37 **PRO**

LLANFIHANGEL YSGEIFIOG Gaerwen, Disgwylfa   *CM*
O.S. ref. SH 48617157
C 1807-37 + **GASL**   1807-37 **PRO**

LLANFWROG   Salem   *CM*
O.S. ref. SH 30108438
C 1814-37 + **GASL**   1814-37 **PRO**

LLANGADWALADR   Hermon   *Cong.*
O.S. ref. SH 39026891
C 1818-36 **PRO**

LLANGAFFO Bethania *CM*
O.S. ref. SH 44446841
C 1833-6 **+ GASL** 1833-6 **PRO**

LLANGEFNI Cildwrn/Ebenezer *Bap.*
O.S. ref. SH 45167599
C 1785-1824 **NLW** B 1785-99 **NLW**

LLANGEFNI Dinas *CM*
O.S. ref. SH 46417559
C 1807-37 **+ GASL** 1807-37 **PRO**

LLANGEFNI Rhos-meirch *Cong.*
O.S. ref. SH 46227769
C 1798-1831 **PRO** B 1798-1816 **PRO**

LLANGEFNI Ebenezer *W*
O.S. ref. SH 45177599
C 1840-1949 **GASL**

LLANGEINWEN Dwyran *CM*
O.S. ref. SH 44846589
C 1812-37 **PRO**

LLANGOED *CM*
O.S. ref. SH 60967930
C 1811-37 **PRO** 1811-46 **+**, 1876-91 **GASL** M 1944-70 **GASL** B 1912-88 **GASL**

LLANGOED *W*
O.S. ref. SH 60997955
C 1843-93 **GASL** M 1904-57 **GASL**

LLANGRISTIOLUS Horeb *CM*
O.S. ref. SH 43107272
C 1808-35 **+ GASL** 1808-35 **PRO**

LLANGRISTIOLUS Paradwys, Capel Mawr *Cong.*
O.S. ref. SH 41547173
C 1785-91, 1821-37 **PRO** B 1836 **PRO**

LLANGWYLLOG Gosen/Tyn-y-coed *CM*
O.S. ref. SH 43867901
C 1815-37 **+ GASL** 1815-37 **PRO**

LLANIDAN Brynsiencyn, Tabernacl *Bap.*
O.S. ref. SH 48316709
C 1811-37 **PRO**

LLANIDAN Brynsiencyn, Horeb *CM*
O.S. ref. SH 48166713
C 1808-34 + **GASL** 1808-34 **PRO**

LLANNERCH-Y-MEDD Tabernacle *Bap.*
O.S. ref. SH 42068418
C 1779-1824 **NLW** 1805-28 **PRO** B 1791 **NLW**

LLANNERCH-Y-MEDD Jerusalem/Salem *CM*
O.S. ref. SH 41898419
C 1806-35 **PRO** 1806-37 + **GASL**

LLANRHUDDLAD Rhyd-wyn *Bap.*
O.S. ref. SH 31488899
C 1789-1835 **PRO** 1789-1836 **GASL** 1795-1818 **NLW**

LLANRHUDDLAD Bethel-hen *CM*
O.S. ref. SH 33238912
C 1805-22 + **GASL** 1805-22 **PRO**

LLANWENLLWYFO Nebo *CM*
O.S. ref. SH 46819038
C 1808-36 + **GASL** 1808-36 **PRO**

LLECHGYNFARWY Carmel *CM*
O.S. ref. SH 38778232
C 1831-6 + **GASL** 1831-6 **PRO**

LLECHYLCHED Capel Gwyn *Bap.*
O.S. ref. SH 34947560
C 1787-1825 **NLW** B 1806-17 **NLW**

LLECHYLCHED Bryngwran, Hebron *CM*
O.S. ref. SH 34537708
C 1834-5 + **GASL** 1834-5 **PRO**

LLECHYLCHED Bryngwran, Salem *Cong.*
O.S. ref. SH 34937741
C 1801-37 **PRO** 1801-45 **GASL**

*NEWBOROUGH/NIWBWRCH gweler isod/see below

NIWBWRCH/NEWBOROUGH Salem *Bap.*
O.S. ref. SH 42446568
C 1787-99 **NLW** B 1791-3 **NLW**

NIWBWRCH/NEWBOROUGH Ebenezer *CM*
O.S. ref. SH 42506553
C 1809-37 + **GASL** 1809-37 **PRO**

PENMYNYDD Gilead *CM*
O.S. ref. SH 52117358
C 1834-5 **+ GASL**

PENMYNYDD Horeb *Cong.*
O.S. ref. SH 50827438
C 1824-37 **PRO**

PENTRAETH Nazareth *CM*
O.S. ref. SH 52227873
C 1833-6 **+ GASL** 1833-6 **PRO**

PENTRAETH Penygarnedd/Elim *CM*
O.S. ref. SH 53627664
C 1808-37 **+ GASL** 1808-37 **PRO** 1873-1905 **UWB** B 1873-1905 **UWB**

PENTRAETH Ebenezer *Cong.*
O.S. ref. SH 52307840
C 1823-37 **PRO**

RHOS-Y-BOL Gorslwyd, Horeb *CM*
O.S. ref. SH 42468805
C 1808-37 **+ GASL** 1808-37 **PRO**

RHOSCOLYN Pontrhydybont, Sardis *Bap.*
O.S. ref. SH 27827827
C 1787-1825 **NLW** B 1817-19 **NLW**

RHOSCOLYN *CM*
O.S. ref. SH 27147642
C 1815-35 **+ GASL** 1815-35 **PRO**

TREFDRAETH Bodorgan, Bethel *CM*
O.S. ref. SH 39707034
C 1806-37 **PRO** 1808-37 **+ GASL**

TREFDRAETH Elim *W*
O.S. ref. SH 39836946
C 1843-1901 **GASL**

TREWALCHMAI Gwalchmai *CM*
O.S. ref. SH 39117578
C 1806-37 **+ GASL** 1806-37 **PRO**

MORGANNWG/GLAMORGAN

ABERAFAN/ABERAVON Zion *BC*
O.S. ref. SS 76449023
M 1907-63 **W GLAM RO**

ABERAFAN/ABERAVON Water Street *Bap.*
O.S. ref. SS 76339003
M 1958-75 **W GLAM RO**

ABERAFAN/ABERAVON Carmel *CM*
O.S. ref. SS 76479011
C 1817-37 **PRO**

ABERAFAN/ABERAVON Tabernacle *Cong.*
O.S. ref. SS 76669038
C 1813, 1815, 1822-37 **PRO**

ABERAFAN/ABERAVON Bethel *PM*
O.S. ref. SS 76439037
M 1932-62 **W GLAM RO**

*ABERAVON/ABERAFAN gweler uchod /see above

ABERDÂR/ABERDARE Aberaman, Gwawr *Bap.*
O.S. ref. SO 01220136
M 1970-6 **GLAM RO**

ABERDÂR/ABERDARE Gadlys *Bap.*
O.S. ref. SN 99790315
M 1914-83 **GLAM RO**

ABERDÂR/ABERDARE Monk Street, Carmel *Bap.*
O.S. ref. SO 00160251
C 1806-37 **PRO** B 1814-36 **PRO**

ABERDÂR/ABERDARE Bethania *CM*
O.S. ref. SO 00210248
M 1914-58, 1960-9, 1975-83 **NLW**

ABERDÂR/ABERDARE Cwmaman, Soar *CM*
O.S. ref. ST 00449959
C 1916-82 **NLW** B 1932-74 **NLW**

ABERDÂR/ABERDARE Cwm-bach, Ebenezer *CM*
O.S. ref. SO 02390148
C 1951-76 **NLW** B 1950-71 **NLW**

ABERDÂR/ABERDARE   Nazareth   *CM*
O.S. ref. SO 00530273
C 1940-69 **NLW**   B 1952-70 **NLW**

ABERDÂR/ABERDARE   Aberaman, Saron   *Cong.*
O.S. ref. SO 01270151
M 1929-91 **GLAM RO**

ABERDÂR/ABERDARE   Hirwaun, Nebo   *Cong.*
O.S. ref. SN 95890551
B 1824-35 **PRO**

ABERDÂR/ABERDARE Trecynon, Heol-y-felin, Ebenezer   *Cong.*
O.S. ref. SN 99430357
B 1811-35 **PRO**

ABERDÂR/ABERDARE Tresalem/Robertstown, Salem   *Cong.*
O.S. ref. SO 00160341
C 1790-1837 **PRO**

ABERDÂR/ABERDARE   *Q*
O.S. ref. _____
B 1862-71 **GLAM RO**

ABERDÂR/ABERDARE   Trecynon, Hen Dŷ Cwrdd   *U*
O.S. ref. SN 99530351
C 1788-93 **GLAM RO**

ABERDÂR/ABERDARE   Aberaman, Shiloh   *W*
O.S. ref. SO 01330121
C 1857-1933 • **NLW**   1966-8 • **W GLAM RO**

ABERDÂR/ABERDARE   Abercwmboi, Cap Coch   *W*
O.S. ref. SO 02250008
C 1857-1933 • **NLW**   1966-8 • **W GLAM RO** M 1964-9, 1972-86 **GLAM RO**

ABERDÂR/ABERDARE   Cwmaman, Bethel   *W*
O.S. ref. ST 00459965
C 1966-8 • **W GLAM RO**   M 1967-9, 1973 **GLAM RO**

ABERDÂR/ABERDARE   Hirwaun, Soar/Cofeb Blaen-gwawr   *W*
O.S. ref. SN 95800567
C 1857-1933 • **NLW**   1966-8 • **W GLAM RO**   M 1971-84 **GLAM RO**

ABERDÂR/ABERDARE   Sion/Seion   *W*
O.S. ref. SO 00310240
C 1857-1968 • **NLW**   1966-8 • **W GLAM RO**

*ABERDARE/ABERDÂR gweler uchod/see above

ABERTAWE/SWANSEA Oxford Street   *BC*
O.S. ref. SS 65019283
M 1920-40 **W GLAM RO**

ABERTAWE/SWANSEA Dan-y-graig, Mount Calvary   *Bap.*
O.S. ref. SS 67589338
B 1901-2 **NLW**

ABERTAWE/SWANSEA Foxhole, Tabernacle   *Bap.*
O.S. ref. SS 66379444
C 1874-94 **NLW**   B 1874-1901 **NLW**

ABERTAWE/SWANSEA Gendros   *Bap.*
O.S. ref. SS 63159553
M 1981-7 **W GLAM RO**

ABERTAWE/SWANSEA High Street, Bethesda   *Bap.*
O.S. ref. SS 65789390
C 1867-89 **NLW**   M 1900-69 **W GLAM RO**   B 1867-86 **NLW**

ABERTAWE/SWANSEA Manselton, Cecil Street   *Bap.*
O.S. ref. SS 65019541
M 1924-69 **W GLAM RO**

ABERTAWE/SWANSEA Mount Pleasant   *Bap.*
O.S. ref. SS 65439317
C 1811-37 **PRO**

ABERTAWE/SWANSEA Spring Terrace, St Helen's   *Bap.*
O.S. ref. SS 64919266
M 1936-42 **W GLAM RO**

ABERTAWE/SWANSEA Townhill   *Bap.*
O.S. ref. SS 63929370
C 1928-67,1982 **W GLAM RO**

ABERTAWE/SWANSEA Treforys/Morriston, Calfaria   *Bap.*
O.S. ref. SS 66819757
M 1969-80 **W GLAM RO**

ABERTAWE/SWANSEA York Place   *Bap.*
O.S. ref. SS 65809280
C 1801-37 **PRO**

ABERTAWE/SWANSEA Alexandra Road   *CM*
O.S. ref. SS 65619348
C 1897-1933 **NLW**

ABERTAWE/SWANSEA   Argyle   *CM*
O.S. ref. SS 64829276
C 1906-52 **NLW**

ABERTAWE/SWANSEA   Bôn-y-maen, Salem/Capel y Cwm   *CM*
O.S. ref. SS 67769573
C 1820-37 **PRO**

ABERTAWE/SWANSEA   Cwmbwrla, Y Babell   *CM*
O.S. ref. SS 64589478
C 1853-1924, 1955-9, 1973-83 **NLW**   M 1972-81 **NLW**   B 1955-8, 1972-87 **NLW**

ABERTAWE/SWANSEA   Glandŵr/Landore, Tabernacle   *CM*
O.S. ref. SS 65969542
M 1939 **NLW**

ABERTAWE/SWANSEA   Park Street, Trinity   *CM*
O.S. ref. SS 63179297
C 1808-37 **PRO**   M 1929 **NLW**

ABERTAWE/SWANSEA   Pentre-chwyth, Bethlehem   *CM*
O.S. ref. SS 67209519
C 1909-78 **NLW**

ABERTAWE/SWANSEA   Plas-marl, Smyrna   *CM*
O.S. ref. SS 66369645
M 1936 **NLW**

ABERTAWE/SWANSEA   Castle Street   *Cong.*
O.S. ref. SS 65689327
C 1827-37 **PRO**

ABERTAWE/SWANSEA   Dan-y-graig   *Cong.*
O.S. ref. SS 67549327
C 1884-1925 **NLW**   M 1891-1925 **NLW**   B 1884-1925 **NLW**

ABERTAWE/SWANSEA   Ebenezer   *Cong.*
O.S. ref. SS 65649369
C 1804-74 **NLW**

ABERTAWE/SWANSEA   Herbert Place, Countess of Huntingdon/Burrows   *Cong.*
O.S. ref. SS 65029292
C 1768-1837 **PRO**

ABERTAWE/SWANSEA   Treforys/Morriston, Libanus   *Cong.*
O.S. ref. SS 67359867
C 1809-37 **PRO**

ABERTAWE/SWANSEA Pell Street *PM*
O.S. ref. SS 65359315
M 1908-40 **W GLAM RO**

ABERTAWE/SWANSEA *Q*
O.S. ref. SS 65679332
B 1781-90, 1806, 1838-63, 1865-77 **GLAM RO**

ABERTAWE/SWANSEA High Street *U*
O.S. ref. SS 65679326
C 1751-95, 1814-37 **PRO** B 1783-4, 1814-37 **PRO**

ABERTAWE/SWANSEA Alexandra Road, Tabernacle *W*
O.S. ref. SS 65579354
C 1810-17, 1837-56, 1885-1930 • **W GLAM RO** M 1904-33 **W GLAM RO**

ABERTAWE/SWANSEA College Street, Wesley Mission *W*
O.S. ref. SS 63959364
C 1941-52 **W GLAM RO**

ABERTAWE/SWANSEA Glandŵr/Landore *W*
O.S. ref. SS 65759558
C 1867-1991 **W GLAM RO** M 1948-70 **W GLAM RO**

ABERTAWE/SWANSEA Goat Street/Bunker's Hill *W*
O.S. ref. SS 65599318
C 1805-37 **PRO** 1810-17, 1837-56, 1885-1930 • **W GLAM RO**

ABERTAWE/SWANSEA St Alban's Road *W*
O.S. ref. SS 63709239
C 1904-76 **W GLAM RO** M 1913-28 **W GLAM RO** 1919-69 **W GLAM RO**

ABERTAWE/SWANSEA St Helens Road, Brunswick *W*
O.S. ref. SS 64709268
C 1873-1906 **W GLAM RO**

ABERTAWE/SWANSEA Tontine Street, Tabernacle *W*
O.S. ref. SS 65689371
C 1810-17, 1837-56, 1885-1930 • **W GLAM RO** 1812-37 **PRO**

ABERTAWE/SWANSEA Townhill *W*
O.S. ref. SS 63959364
M 1955-71 **W GLAM RO**

ABERTAWE/SWANSEA Treforys/Morriston *W*
O.S. ref. SS 67019807
M 1940-59, 1962 **W GLAM RO**

ABERTAWE WLEDIG/SWANSEA RURAL   Llansamlet, Heol-las, Ainon   *Bap.*
O.S. ref. SS 69729848
C 1918-75 **W GLAM RO**   M 1920-57 **W GLAM RO**

ABERTAWE WLEDIG/SWANSEA RURAL   Pont-lliw/Grovesend, Bethania   *Bap.*
O.S. ref. SN 59090083
M 1954-67 **W GLAM RO**

ABERTAWE WLEDIG/SWANSEA RURAL   Sgeti/Sketty, Carnglas Road   *Bap.*
O.S. ref. SS 62306230
M 1952-7 **W GLAM RO**

ABERTAWE WLEDIG/SWANSEA RURAL   Tre-boeth, Caersalem Newydd   *Bap.*
O.S. ref. SS 65209731
C 1839-71 **NLW**   M 1841-53 **NLW**   B 1839-71 **NLW**

ABERTAWE WLEDIG/SWANSEA RURAL   Casllwchwr/Loughor, Moriah   *CM*
O.S. ref. SS 57709811
C 1832-41 **NLW**

ABERTAWE WLEDIG/SWANSEA RURAL   Clas/Clase, Llangyfelach, Bethel   *CM*
O.S. ref. SS 64789899
C 1811-37 **PRO**

ABERTAWE WLEDIG/SWANSEA RURAL   Llansamlet, Llwynbrwydrau, Ebenezer
CM
O.S. ref. SS 70419726
M 1912-70, 1977 **NLW**

ABERTAWE WLEDIG/SWANSEA RURAL   Llansamlet, Peniel Green, Seion   *CM*
O.S. ref. SS 69669763
C 1907-83 **NLW**   B 1911-12 **NLW**

ABERTAWE WLEDIG/SWANSEA RURAL   Casllwchwr/Loughor, Horeb   *Cong.*
O.S. ref. SS 56399803
M 1918-80 **W GLAM RO**

ABERTAWE WLEDIG/SWANSEA RURAL   Llansamlet, Bethel   *Cong.*
O.S. ref. SS 69379738
C 1794-1837 **PRO**   M 1983-7 **W GLAM RO**

ABERTAWE WLEDIG/SWANSEA RURAL   Mynydd-bach/Tir Doncyn   *Cong.*
O.S. ref. SS 64889788
C 1688-1784 **NLW**   1793-1837 **PRO**   M 1700-74 **NLW**   1983-4 **W GLAM RO**
B 1676-1784 **NLW**

ABERTAWE WLEDIG/SWANSEA RURAL   Tre-gŵyr/Gowerton, Tabernacle   *Cong.*
O.S. ref. SS 59269624
M 1922 **NLW**

ABERTAWE WLEDIG/SWANSEA RURAL   Gorseinon, English   *W*
O.S. ref. SS 59539847
C 1955-64 **W GLAM RO**

ABERTAWE WLEDIG/SWANSEA RURAL   Pontarddulais, Trinity   *W*
O.S. ref. SN 59260348
C 1810-17, 1837-56, 1885-1930 • **W GLAM RO**

BARRI, Y/BARRY   Holton Road   *Bap.*
O.S. ref. ST 11926818
M 1918-83 **GLAM RO**

BARRI, Y/BARRY   Holton Road   *W*
O.S. ref. ST 12066820
M 1899-1963 **GLAM RO**

BARRI, Y/BARRY   Tregatwg/Cadoxton   *W*
O.S. ref. ST12796918
C 1925-76 **GLAM RO**

*BARRY /Y BARRI   gweler uchod/see above

BONT-FAEN,Y/COWBRIDGE   *Q*
O.S. ref.⎯⎯⎯⎯⎯
B 1839-41, 1846, 1861 **GLAM RO**

BONT-FAEN,Y/COWBRIDGE   *W*
O.S. ref. SS 99747450
C 1849-1934, 1936-62 **GLAM RO**   M 1910-56 **GLAM RO**

BONT-FAEN WLEDIG/COWBRIDGE RURAL   Llanilltud Fawr/Llantwit Major,
Tabernacle   *CM*
O.S. ref. SS 96736858
C 1812-37 **PRO**

BONT-FAEN WLEDIG/COWBRIDGE RURAL   Llanfleiddan/Llanblethian, Y Maendy
Cong.
O.S. ref. ST 01007649
C 1803-37 **PRO**

BONT-FAEN WLEDIG/COWBRIDGE RURAL   Llanharan, Bethel/Bethlehem   *Cong.*
O.S. ref. SS 99808323
C 1777-1814, 1829-37 **PRO**   1801-47 **GLAM RO**   1849-81 **NLW**
B 1857-91 **GLAM RO**

BONT-FAEN WLEDIG/COWBRIDGE RURAL   Llanilltud Fawr/Llantwit Major,
Bethesda/Bethesda'r Fro   *Cong.*
O.S. ref. SS 99206909
C 1798-1837 **PRO**   B 1806-20 **PRO**

BONT-FAEN WLEDIG/COWBRIDGE RURAL Llanilltud Fawr/Llantwit Major   *W*
O.S. ref. SS 96756884
C 1933-76 **GLAM RO**

BONT-FAEN WLEDIG/COWBRIDGE RURAL Sain Tathan/St Athan   *W*
O.S. ref. ST 01736793
C 1849-1934 **GLAM RO**

*BRIDGEND/PEN-Y-BONT AR OGWR Ruhamah   *Bap.*
O.S. ref. SS 90527984
C 1800-37 **PRO**

*BRIDGEND/PEN-Y-BONT AR OGWR Nolton Street   *CM*
O.S. ref. SS 90647969
C 1945-71 **NLW**   B 1944-9 **NLW**

*BRIDGEND/PEN-Y-BONT AR OGWR Tabernacle   *Cong.*
O.S. ref. SS 90617983
C 1785-1837 **PRO**   1801-47, 1857-91 **GLAM RO**   1810-40 **NLW**
B 1861-74 **GLAM RO**

*BRIDGEND RURAL/PEN-Y-BONT WLEDIG Bryncethin, Nazareth   *Bap.*
O.S. ref. SS 91358449
M 1960-9 **GLAM RO**

*BRIDGEND RURAL/PEN-Y-BONT WLEDIG Llangynwyd, Cwmfelin, Calfaria *Bap.*
O.S. ref. SS 86228978
M 1981-6 **GLAM RO**

*BRIDGEND RURAL/PEN-Y-BONT WLEDIG Ton-du, Jerusalem   *Bap.*
O.S. ref. SS 89278407
M 1938-48 **GLAM RO**

*BRIDGEND RURAL/PEN-Y-BONT WLEDIG Laleston/Trelales, Horeb   *CM*
O.S. ref. SS 87767992
C 1882-1980 **NLW**

*BRIDGEND RURAL/PEN-Y-BONT WLEDIG Pen-coed, Salem   *CM*
O.S. ref. SS 95878124
B 1792-1809 **NLW**

*BRIDGEND RURAL/PEN-Y-BONT WLEDIG St Bride's Major/Saint-y-brid, Bryn Sion
CM
O.S. ref. SS 89627497
M 1976-86 **NLW**

*BRIDGEND RURAL/PEN-Y-BONT WLEDIG Bryncethin, Peniel   *Cong.*
O.S. ref. SS 91138394
C 1801-40, 1857-91 **GLAM RO**   B 1861-74 **GLAM RO**

*BRIDGEND RURAL/PEN-Y-BONT WLEDIG   Brynmenyn, Betharran *Cong.*
O.S. ref. SS 90598488
C 1801-40, 1857-91 **GLAM RO**   B 1861-74 **GLAM RO**

*BRIDGEND RURAL/PEN-Y-BONT WLEDIG   Cefncribwr, Siloam   *Cong.*
O.S. ref. SS 85488288
C 1807-37 **PRO**

*BRIDGEND RURAL/PEN-Y-BONT WLEDIG   Coety, Gilead   *Cong.*
O.S. ref. SS 92198155
C 1801-40, 1857-91 **GLAM RO**   B 1861-74 **GLAM RO**

*BRIDGEND RURAL/PEN-Y-BONT WLEDIG   Heol-y-cyw, Bethel/Bethel Newydd
Cong.
O.S. ref. SS 94638457/SS 94528433
C 1801-47, 1857-91 **GLAM RO**   1810-37 **PRO**   B 1861-74 **GLAM RO**

*BRIDGEND RURAL/PEN-Y-BONT WLEDIG   Kenfig Hill/Mynyddcynffig, Elim
Cong.
O.S. ref. SS 84018322
M 1899-1970, 1975-83 **GLAM RO**

*BRIDGEND RURAL/PEN-Y-BONT WLEDIG   Llangynwyd, Bethesda   *Cong.*
O.S. ref. SS 85738891
C 1807-37 **PRO**

*BRITON FERRY/LLANSAWEL   Salem   *Bap.*
O.S. ref. SS 74279457
M 1922-71 **W GLAM RO**

CAERDYDD/CARDIFF   Cowbridge Road   *BC/W*
O.S. ref. ST 15937663
C 1896-1932 • **GLAM RO**

CAERDYDD/CARDIFF   Diamond Street   *BC/W*
O.S. ref. ST 19937697
C 1896-1964 • **GLAM RO**   M 1918-65 **GLAM RO**

CAERDYDD/CARDIFF   Miskin Street   *BC/W*
O.S. ref. ST 18597731
C 1896-1932 • **GLAM RO**

CAERDYDD/CARDIFF   Swansea Street Mission   *BC/W*
O.S. ref. ST 20417626
C 1896-1932 • **GLAM RO**

CAERDYDD/CARDIFF   Eldon Road/Ninian Park Road, Victoria   *Bap.*
O.S. ref. ST 17367603
M 1948-72 **GLAM RO**

CAERDYDD/CARDIFF Y Rhath/Roath, Longcross Street, Zion   *Bap.*
O.S. ref. ST 19487691
M 1913-67 **GLAM RO**

CAERDYDD/CARDIFF St Mary Street, Bethany   *Bap.*
O.S. ref. ST 18277628
C 1804-37 **GLAM RO** 1804-37 **PRO** M 1956-63 **GLAM RO**
B 1807-37 **GLAM RO** 1807-37 **PRO**

CAERDYDD/CARDIFF Sblot/Splott, Walker Road, Einon/Ainon   *Bap.*
O.S. ref. ST 20237642
C 1918-75 **GLAM RO**

CAERDYDD/CARDIFF Cathedral Road   *CM*
O.S. ref. ST 16737735
C 1900-19,1954-86 **NLW**

CAERDYDD/CARDIFF Crwys Hall/Cathays Presbyterian   *CM*
O.S. ref. ST 18267817
M 1947-84 **GLAM RO**

CAERDYDD/CARDIFF Heol y Crwys   *CM*
O.S. ref. ST 18627778
M 1946-88 **NLW**

CAERDYDD/CARDIFF Pembroke Terrace   *CM*
O.S. ref. ST 18737637
M 1899-1974 **NLW**

CAERDYDD/CARDIFF Ebenezer   *Cong.*
O.S. ref. ST 18507647
C 1816-37 **PRO**

CAERDYDD/CARDIFF Llandaff Road   *Cong.*
O.S. ref. ST 16427697
C 1882-7 **GLAM RO** B 1882 **GLAM RO**

CAERDYDD/CARDIFF New Trinity   *Cong.*
O.S. ref. ST 16367656
C 1843, 1849-51, 1856, 1860, 1864-72 **GLAM RO** M 1932-71 **GLAM RO**

CAERDYDD/CARDIFF Sachville Avenue   *Cong.*
O.S. ref. ST 17407899
C 1959-81 **GLAM RO**

CAERDYDD/CARDIFF Wood Street   *Cong.*
O.S. ref. ST 18227607
C 1881-1959 **NLW** M 1891-1954 **NLW** B 1891-1911, 1919-20, 1924-5, 1945, 1951 **NLW**

CAERDYDD/CARDIFF   Cathays Terrace   *MF/W*
O.S. ref. ST 18067771
C 1892-1940 **GLAM RO**

CAERDYDD/CARDIFF   Newport Road   *MF/W*
O.S. ref. ST 19537703
C 1886-1929, 1948-9, 1951-4 **GLAM RO**   M 1899-1941 **GLAM RO**

CAERDYDD/CARDIFF   Penarth Road   *MF/W*
O.S. ref. ST 17717528
C 1928-64 **GLAM RO**   M 1958-69 **GLAM RO**

CAERDYDD/CARDIFF   Moira Terrace, Mount Tabor   *PM*
O.S. ref. ST 19247661
C 1891-1939, 1944 **GLAM RO**   M 1901-40 **GLAM RO**

CAERDYDD/CARDIFF   *Q*
O.S. ref. ST 18637640
B 1839-47, 1861, 1878-1909, 1911-27 **GLAM RO**

CAERDYDD/CARDIFF   Albany Road   *W*
O.S. ref. ST 19127790
C 1931-62   M 1919-90 **GLAM RO**

CAERDYDD/CARDIFF   Broadway   *W*
O.S. ref. ST 19737712
C 1876-1949, 1951-4 **GLAM RO**   M 1881-1950 **GLAM RO**

CAERDYDD/CARDIFF   Charles Street   *W*
O.S. ref. ST 18657632
M 1934-7 **GLAM RO**

CAERDYDD/CARDIFF   Cyfarthfa and Lily Street Mission   *W*
O.S. ref. ST 19087739
C 1892-1960 **GLAM RO**

CAERDYDD/CARDIFF   Four Elms Road, Trinity   *W*
O.S. ref. ST 19537703
C 1948-9, 1951-4 **GLAM RO**

CAERDYDD/CARDIFF   Grangetown, Ludlow Street   *W*
O.S. ref. ST 17917462
C 1945-77 **GLAM RO**   M 1937-70, 1972-6 **GLAM RO**

CAERDYDD/CARDIFF   Guildford Street   *W*
O.S. ref. ST 18777637
C 1864-1929 **GLAM RO**

CAERDYDD/CARDIFF Llanrhymni/Llanrumney, Washford Avenue *W*
O.S. ref. ST 22518128
M 1963-70,1973-81 **GLAM RO**

CAERDYDD/CARDIFF Loudon Square *W*
O.S. ref. ST 18877517
C 1859-1935 **GLAM RO** M 1873-1965 **GLAM RO**

CAERDYDD/CARDIFF Roath Road *W*
O.S. ref. ST 19187689
M 1872-99 **GLAM RO**

CAERDYDD/CARDIFF Splott Road *W*
O.S. ref. ST 20247665
M 1975-6 **GLAM RO**

CAERDYDD/CARDIFF Treganna/Canton, Conway Road *W*
O.S. ref. ST 16577699
C 1891-1922 **GLAM RO**

CAERDYDD/CARDIFF Union Street, Bethel *W*
O.S. ref. ST 18467645
C 1818-37 **PRO**

CAERDYDD/CARDIFF gweler hefyd/see also LLANDAF & DINAS POWYS

CAERFFILI/CAERPHILLY Abertridwr, Nasareth *CM*
O.S. ref. ST 12098936
C 1905-26 **NLW**

CAERFFILI/CAERPHILLY Ffynnon Taf/Taff's Well, Tabor *CM*
O.S. ref. ST 12138357
M 1916 **NLW**

CAERFFILI/CAERPHILLY Llanbradach, Moriah *CM*
O.S. ref. ST 14919047
M 1912-48 **NLW**

CAERFFILI/CAERPHILLY Nelson, Heol-fawr, Ebenezer *CM*
O.S. ref. ST 11509520
M 1901-71, 1973-8 **NLW**

CAERFFILI/CAERPHILLY Windsor Street *CM*
O.S. ref. ST 15648683
C 1928-35 **NLW**

CAERFFILI/CAERPHILLY Y Groes-wen *Cong.*
O.S. ref. ST 12798699
C 1798-1849, 1942-52 **GLAM RO**

CAERFFILI/CAERPHILLY Nantgarw *W*
O.S. ref. ST 11568563
C 1948-82 **GLAM RO**

*CAERPHILLY/CAERFFILI gweler uchod/see above

*CARDIFF/CAERDYDD Cowbridge Road *BC/W*
O.S. ref. ST 15937663
C 1896-1932 • **GLAM RO**

*CARDIFF/CAERDYDD Diamond Street *BC/W*
O.S. ref. ST 19937697
C 1896-1964 • **GLAM RO** M 1918-65 **GLAM RO**

*CARDIFF/CAERDYDD Miskin Street *BC/W*
O.S. ref. ST 18597731
C 1896-1932 • **GLAM RO**

*CARDIFF/CAERDYDD Swansea Street Mission *BC/W*
O.S. ref. ST 20417626
C 1896-1932 • **GLAM RO**

*CARDIFF/CAERDYDD Eldon Road/Ninian Park Road, Victoria *Bap.*
O.S. ref. ST 17367603
M 1948-72 **GLAM RO**

*CARDIFF/CAERDYDD Roath/Y Rhath, Longcross Street, Zion *Bap.*
O.S. ref. ST 19487691
M 1913-67 **GLAM RO**

*CARDIFF/CAERDYDD St Mary Street, Bethany *Bap.*
O.S. ref. ST 18277628
C 1804-37 **GLAM RO** 1804-37 **PRO** M 1956-63 **GLAM RO**
B 1807-37 **GLAM RO** 1807-37 **PRO**

*CARDIFF/CAERDYDD Splott/Sblot, Walker Road, Einon/Ainon *Bap.*
O.S. ref. ST 20237642
C 1918-75 **GLAM RO**

*CARDIFF/CAERDYDD Cathedral Road *CM*
O.S. ref. ST 16737735
C 1900-19,1954-86 **NLW**

*CARDIFF/CAERDYDD Crwys Hall/Cathays Presbyterian *CM*
O.S. ref. ST 18267817
M 1947-84 **GLAM RO**

*CARDIFF/CAERDYDD Crwys Road/Heol y Crwys *CM*
O.S. ref. ST 18627778
M 1946-88 **NLW**

*CARDIFF/CAERDYDD   Pembroke Terrace   *CM*
O.S. ref. ST 18737637
M 1899-1974 **NLW**

*CARDIFF/CAERDYDD   Ebenezer   *Cong.*
O.S. ref. ST 18507647
C 1816-37 **PRO**

*CARDIFF/CAERDYDD   Llandaff Road   *Cong.*
O.S. ref. ST 16427697
C 1882-7 **GLAM RO**   B 1882 **GLAM RO**

*CARDIFF/CAERDYDD   New Trinity   *Cong.*
O.S. ref. ST 16367656
C 1843, 1849-51, 1856, 1860, 1864-72 **GLAM RO**   M 1932-71 **GLAM RO**

*CARDIFF/CAERDYDD   Sachville Avenue   *Cong.*
O.S. ref. ST 17407899
C 1959-81 **GLAM RO**

*CARDIFF/CAERDYDD   Wood Street   *Cong.*
O.S. ref. ST 19167688
C 1881-1959 **NLW**   M 1891-1954 **NLW**   B 1891-1911, 1919-20, 1924-5, 1945, 1951 **NLW**

*CARDIFF/CAERDYDD   Cathays Terrace   *MF/W*
O.S. ref. ST 18067771
C 1892-1940 **GLAM RO**

*CARDIFF/CAERDYDD   Newport Road   *MF/W*
O.S. ref. ST 19537703
C 1886-1929, 1948-9, 1951-4 **GLAM RO**   M 1899-1941 **GLAM RO**

*CARDIFF/CAERDYDD   Penarth Road   *MF/W*
O.S. ref. ST 17717528
C 1928-64 **GLAM RO**   M 1958-69 **GLAM RO**

*CARDIFF/CAERDYDD   Moira Terrace, Mount Tabor   *PM*
O.S. ref. ST 19247661
C 1891-1939, 1944 **GLAM RO**   M 1901-40 **GLAM RO**

*CARDIFF/CAERDYDD   *Q*
O.S. ref. ST 18637640
B 1839-47, 1861, 1878-1909, 1911-27 **GLAM RO**

*CARDIFF/CAERDYDD   Albany Road   *W*
O.S. ref. ST 19127790
C 1931-62   M 1919-90 **GLAM RO**

*CARDIFF/CAERDYDD Broadway *W*
O.S. ref. ST 19737712
C 1876-1949, 1951-4 **GLAM RO** M 1881-1950 **GLAM RO**

*CARDIFF/CAERDYDD Canton/Treganna, Conway Road *W*
O.S. ref. ST 16577699
C 1891-1922 **GLAM RO**

*CARDIFF/CAERDYDD Charles Street *W*
O.S. ref. ST 18657632
M 1934-7 **GLAM RO**

*CARDIFF/CAERDYDD Cyfarthfa and Lily Street Mission *W*
O.S. ref. ST 19087739
C 1892-1960 **GLAM RO**

*CARDIFF/CAERDYDD Four Elms Road, Trinity *W*
O.S. ref. ST 19537703
C 1948-9, 1951-4 **GLAM RO**

*CARDIFF/CAERDYDD Grangetown, Ludlow Street *W*
O.S. ref. ST 17917462
C 1945-77 **GLAM RO** M 1937-70, 1972-6 **GLAM RO**

*CARDIFF/CAERDYDD Guildford Street *W*
O.S. ref. ST 18777637
C 1864-1929 **GLAM RO**

*CARDIFF/CAERDYDD Llanrumney/Llanrhymni, Washford Avenue *W*
O.S. ref. ST 22518128
M 1963-70,1973-81 **GLAM RO**

*CARDIFF/CAERDYDD Loudon Square *W*
O.S. ref. ST 18877517
C 1859-1935 **GLAM RO** M 1873-1965 **GLAM RO**

*CARDIFF/CAERDYDD Roath Road *W*
O.S. ref. ST 19187689
M 1872-99 **GLAM RO**

*CARDIFF/CAERDYDD Splott Road *W*
O.S. ref. ST 20247665
M 1975-6 **GLAM RO**

*CARDIFF/CAERDYDD Union Street, Bethel *W*
O.S. ref. ST 18467645
C 1818-37 **PRO**

*CARDIFF/CAERDYDD gweler hefyd/see also LLANDAF & DINAS POWYS

CASTELL-NEDD/NEATH Bethany/Bethania *Bap.*
O.S. ref. SS 75309730
C 1773-1836 **PRO** M 1955-70 **W GLAM RO**

CASTELL-NEDD/NEATH Bethlehem Green *CM*
O.S. ref. SS 75249776
C 1799, 1811-37 **PRO** 1902-62 **NLW** B 1913-23 **NLW**

CASTELL-NEDD/NEATH *Q*
O.S. ref. SS 75369782
B 1865-9 **GLAM RO** 1866-8 **NLW**

CASTELL-NEDD/NEATH London Road *W*
O.S. ref. SS 75369733
M 1909-71 **W GLAM RO**

CASTELL-NEDD WLEDIG/NEATH RURAL Cwmafan, Seion *Cong.*
O.S. ref. SS 77489186
C 1822-37 **PRO** M 1908-88 **W GLAM RO** B 1760-9 **PRO**

CASTELL-NEDD WLEDIG/NEATH RURAL Onllwyn *Cong.*
O.S. ref. SN 83951012
M 1981-91 **W GLAM RO**

CASTELL-NEDD WLEDIG/NEATH RURAL Blaenhonddan *Q*
O.S. ref.——————
B 1829-1909, 1911-27 **GLAM RO**

CASTELL-NEDD WLEDIG/NEATH RURAL Y Creunant/Crynant, Bethel *W*
O.S. ref. SN 79500513
C 1929-65 • **NLW**

CASTELL-NEDD WLEDIG/NEATH RURAL Cwmafan *W*
O.S. ref. SS 78359226
M 1938-52, 1954-71 **W GLAM RO**

CASTELL-NEDD WLEDIG/NEATH RURAL Mynachlog Nedd/Neath Abbey, Ebenezer
W
O.S. ref. SS 73669752
C 1810-17, 1837-56, 1885-1930 • **W GLAM RO** 1929-65 • **NLW**
M 1918-69, 1971-81 **W GLAM RO**

CASTELL-NEDD WLEDIG/NEATH RURAL Sgiwen/Skewen *W*
O.S. ref. SS 72349740
M 1907-34 **W GLAM RO**

*COWBRIDGE/Y BONT-FAEN *Q*
O.S. ref. ——————
B 1839-41, 1846, 1861 **GLAM RO**

*COWBRIDGE/Y BONT-FAEN   *W*
O.S. ref. SS 99747450
C 1849-1934.1 936-62 **GLAM RO**   M 1910-56 **GLAM RO**

*COWBRIDGE RURAL/BONT-FAEN WLEDIG   Llantwit Major/Llanilltud Fawr,
Tabernacle   *CM*
O.S. ref. SS 96736858
C 1812-37 **PRO**

*COWBRIDGE RURAL/BONT-FAEN WLEDIG   Llanblethian/Llanfleiddan, Y Maendy
Cong.
O.S. ref. ST 01007649
C 1803-37 **PRO**

*COWBRIDGE RURAL/BONT-FAEN WLEDIG Llanharan, Bethel/Bethlehem   *Cong.*
O.S. ref. SS 99808323
C 1777-1814, 1829-37 **PRO**   1801-47 **GLAM RO**   1849-81 **NLW**
B 1857-91 **GLAM RO**

*COWBRIDGE RURAL/BONT-FAEN WLEDIG   Llantwit Major/Llanilltud Fawr,
Bethesda/Bethesda'r Fro   *Cong.*
O.S. ref. SS 99206909
C 1798-1837 **PRO**   B 1806-20 **PRO**

*COWBRIDGE RURAL/BONT-FAEN WLEDIG   Llantwit Major/Llanilltud Fawr   *W*
O.S. ref. SS 96756884
C 1933-76 **GLAM RO**

*COWBRIDGE RURAL/BONT-FAEN WLEDIG   St Athan/Sain Tathan   *W*
O.S. ref. ST 01736793
C 1849-1934 **GLAM RO**

GARW Betws Tir Iarll, Sardis   *Bap.*
O.S. ref. SS 89948691
C 1890 **W GLAM RO**   B 1890 **W GLAM RO**

GARW   Blaengarw, Katie Street, Tabernacle   *CM*
O.S. ref. SS 90089306
M 1902-68 **NLW**

GARW   Pontycymer, Bethel   *CM*
O.S. ref. SS 90589094
M 1904-80 **NLW**

GARW   Betws Tir Iarll   *Cong.*
O.S. ref. SS 90098625
C 1785-9 **PRO**

GELLI-GAER Hengoed/Hen Dŷ Cwrdd   *Bap.*
O.S. ref. ST 14839540
C 1781-1817 **NLW**   B 1745-1871 **GLAM RO**   1785-1823 **NLW**

GELLI-GAER Pontlotyn, Zoar/Soar   *Bap.*
O.S. ref. SO 11540627
B 1837-44 **NLW**

GELLI-GAER Gilfach Fargod   *CM*
O.S. ref. ST 15279848
C 1922-75 **NLW**   B 1937,1949-52 **NLW**

GELLI-GAER Craig Bargoed/Seion   *Cong.*
O.S. ref. SO 11120015
C 1823-37 **PRO**   1831-8 **NLW**

GELLI-GAER Bargoed, South Street   *PM*
O.S. ref. ST 14939968
C 1931-64 **GLAM RO**   M 1956-64 **GLAM RO**

GELLI-GAER Pontlotyn, Mount Zion   *PM*
O.S. ref. SO 11670623
C 1936-71 **GLAM RO**   M 1957-66 **GLAM RO**

GELLI-GAER Aberbargoed   *W*
O.S. ref. SO 15520015
C 1905-78 **GLAM RO**

GELLI-GAER Bargoed   *W*
O.S. ref. ST 14989947
C 1843-1916 • **NLW**   1931-64 **GLAM RO**   M 1956-64 **GLAM RO**

GELLI-GAER Bedlinog, Soar   *W*
O.S. ref. SO 09350143
C 1837-1906 • **NLW**   1906-33 • **W GLAM RO**

GELLI-GAER Brithdir   *W*
O.S. ref. SO 15210183
M 1956-76 **GLAM RO**

GELLI-GAER Hengoed, Tir-y-berth   *W*
O.S. ref. ST 15009676
C 1944-78 **GLAM RO**   M 1957-76 **GLAM RO**

GELLI-GAER Pontlotyn, Nazareth   *W*
O.S. ref. SO 11670608
C 1843-1916 • **NLW**

GELLI-GAER   Trelewis, Taff Merthyr/Garden Village   *W*
O.S. ref. ST 10619797
M 1938-64, 1969, 1974-84 **GLAM RO**

GLYNCORRWG   Cymer, Hebron   *Cong.*
O.S. ref. SS 86129635
C 1808-37 **PRO**

GLYNCORRWG   Abercregan   *W*
O.S. ref. SS 84889662
M 1937 **W GLAM RO**

*GOWER/GŴYR   gweler isod/see below

GŴYR/GOWER   Llanilltud Gŵyr/Ilston   *Bap.*
O.S. ref. SS 55308946
C 1650-1 **NLW/W GLAM RO**   B 1650-5 **NLW/W GLAM RO**

GŴYR/GOWER   Llangennydd/Llangennith, Burry's Green, Bethesda   *CM*
O.S. ref. SS 46229144
C 1815-61 **NLW**   B 1823-60 **NLW**

GŴYR/GOWER   Llanmorlais, Penuel   *CM*
O.S. ref. SS 52459361
M 1899-1981 **NLW**

GŴYR/GOWER   Llanilltud Gŵyr/Ilston, Park Mill, Mount Pisgah   *Cong.*
O.S. ref. SS 54578919
B 1825 **NLW**

GŴYR/GOWER   Llanrhidian, Three Crosses/Carmel   *Cong.*
O.S. ref. SS 55339349
C 1795-1834 **PRO**

GŴYR/GOWER   Llandeilo Ferwallt/Bishopston, Murton   *W*
O.S. ref. SS 58628905
C 1893-1976 **W GLAM RO**   B 1899 **NLW**

GŴYR/GOWER   Llangennydd/Llangennith   *W*
O.S. ref. SS 42759174
C 1864-1913 • **W GLAM RO**

GŴYR/GOWER   Oxwich, Oxwich Green   *W*
O.S. ref. SS 49448606
C 1864-1913 • **W GLAM RO**

GŴYR/GOWER   Pen-rhys/Penrice, Horton   *W*
O.S. ref. SS 47448597
C 1864-1913 • **W GLAM RO**

GŴYR/GOWER   Port Einon   *W*
O.S. ref. SS 46778540
C 1864-1913 • **W GLAM RO**

GŴYR/GOWER   Reynoldston   *W*
O.S. ref. SS 48079011
C 1864-1913 • **W GLAM RO**

GŴYR/GOWER   Rhosili, Pitton   *W*
O.S. ref. SS 42538768
C 1864-1913 • **W GLAM RO**

LLANDAF & DINAS POWYS   Llancarfan, Bethlehem   *Bap.*
O.S. ref. ST 05067014
B 1924, 1947, 1951, 1958, 1966 **GLAM RO**

LLANDAF & DINAS POWYS   Sain Nicolas/St Nicholas, Croes-y-parc   *Bap.*
O.S. ref. ST 07947583
C 1801-49 **NLW**

LLANDAF & DINAS POWYS   Wauntreoda, Ararat   *Bap.*
O.S. ref. ST 16047974
C 1793-1838 **GLAM RO**

LLANDAF & DINAS POWYS   Aberddawan/Aberthaw, Tabernacle   *CM*
O.S. ref. ST 03476678
C 1818-37 **PRO**

LLANDAF & DINAS POWYS   Yr Eglwys Newydd/Whitchurch, Tabernacle   *CM*
O.S. ref. ST 15657986
C 1944-51 **NLW**   M 1944-6 **NLW**   B 1914-17,1944-51 **NLW**

LLANDAF & DINAS POWYS   Llandaf, Chapel Street, Gilgal   *CM*
O.S. ref. ST 15527790
M 1913-27 **NLW**

LLANDAF & DINAS POWYS   Pendeulwyn/Pendoylan, Clawdd Coch, Bethania   *CM*
O.S. ref. ST 05567754
C 1821-37 **PRO**

LLANDAF & DINAS POWYS   Pen-marc/Penmark, Sardis   *CM*
O.S. ref. ST 05736884
C 1818-37 **PRO**

LLANDAF & DINAS POWYS   Sain Ffagan/St Fagans, Tabernacle   *CM*
O.S. ref. ST 11967745
C 1866-1965 **NLW**

LLANDAF & DINAS POWYS   Sain Nicolas/St Nicholas, Tre-hyl/Tre-hill   *CM*
O.S. ref. ST 08637428
C 1823-36 **PRO**

LLANDAF & DINAS POWYS   Trelái/Ely, Mount Pleasant   *CM*
O.S. ref. ST 13497674
C 1927-55 **NLW**

LLANDAF & DINAS POWYS   Trelái/Ely, Grand Avenue   *Cong./UR*
O.S. ref. ST 13677647
M 1982-9 **GLAM RO**

LLANDAF & DINAS POWYS   Llanisien/Llanishen   *Q*
O.S. ref. _____
B 1911-27 **GLAM RO**

LLANDAF & DINAS POWYS   Cyncoed   *W*
O.S. ref. ST 19338106
C 1939-65 **GLAM RO**

LLANDAF & DINAS POWYS   Llandaf   *W*
O.S. ref. ST 15367796
C 1892-1918 **GLAM RO**

LLANDAF & DINAS POWYS   Trelái/Ely, Ebenezer   *W*
O.S. ref. ST 14427668
C 1798-1837 **PRO**

LLANDAF & DINAS POWYS   Tyllgoed/Fairwater   *W*
O.S. ref. ST 13857767
C 1957-67 **GLAM RO**

LLANDAF & DINAS POWYS   gweler hefyd/see also CAERDYDD/CARDIFF

LLANILLTUD FAERDRE/LLANTWIT FARDRE   Trinity   *CM*
O.S. ref. ST 07468503
M 1922-84 **NLW**

LLANILLTUD FAERDRE/LLANTWIT FARDRE   Upper Church Village, Bryntirion
CM
O.S. ref. ST 07898648
B 1874-1984 **GLAM RO**

LLANILLTUD FAERDRE/LLANTWIT FARDRE   Church Village   *W*
O.S. ref. ST 08538588
M 1960-71, 1973-6 **GLAM RO**

LLANSAWEL/BRITON FERRY Salem *Bap.*
O.S. ref. SS 74279457
M 1922-71 **W GLAM RO**

LLANTRISANT Tabor *Bap.*
O.S. ref. ST 04848344
M 1932-8 **GLAM RO**

LLANTRISANT Tonyrefail, Ainon *Bap.*
O.S. ref. ST 00768828
M 1936-76 **GLAM RO**

LLANTRISANT Coed-elái, Bethania *CM*
O.S. ref. ST 01068695
M 1922-47 **NLW**

LLANTRISANT Meisgyn/Miskin, New Mill/Ebenezer *CM*
O.S. ref. ST 04608077
C 1863-8, 1904-6, 1931-88 **NLW**

LLANTRISANT Zoarbabel *W*
O.S. ref. ST 04838322
C 1900-22 **GLAM RO**

*LLANTWIT FARDRE/LLANILLTUD FAERDRE Trinity *CM*
O.S. ref. ST 07468503
M 1922-84 **NLW**

*LLANTWIT FARDRE/LLANILLTUD FAERDRE Upper Church Village, Bryntirion
CM
O.S. ref. ST 07898648
B 1874-1984 **GLAM RO**

*LLANTWIT FARDRE/LLANILLTUD FAERDRE Church Village *W*
O.S. ref. ST 08538588
M 1960-71,1973-6 **GLAM RO**

LLANWYNNO Abercynon, Calfaria *Bap.*
O.S. ref. ST 08429506
M 1955-82 **GLAM RO**

LLANWYNNO Abercynon, Moriah *Bap.*
O.S. ref. ST 08069509
M 1961-87 **GLAM RO**

LLANWYNNO Penrhiw-ceibr, Bethesda *Bap.*
O.S. ref. ST 05959766
M 1966-9 **GLAM RO**

LLANWYNNO   Aberpennar/Mountain Ash, Bethlehem   *CM*
O.S. ref. ST 04609916
C 1944-83 **NLW**   M 1902-69, 1971-3 **NLW**   B 1944-84 **NLW**

LLANWYNNO   Penrhiw-ceibr, Penuel   *CM*
O.S. ref. ST 05659785
C 1922-88 **NLW**

LLANWYNNO   Ynys-boeth, Hermon   *CM*
O.S. ref. ST 07039634
C 1947-71 **NLW**   B 1945-82 **NLW**

LLANWYNNO   Ynys-y-bŵl, Jerusalem   *CM*
O.S. ref. ST 06089385
C 1937 **NLW**

LLANWYNNO   Aberpennar/Mountain Ash, Providence   *Cong.*
O.S. ref. ST 04639923
M 1984-8 **GLAM RO**

LLANWYNNO   Abercynon, Carmel   *W*
O.S. ref. ST 07999483
C 1925-68 **NLW**   1966-8 • **W GLAM RO**

LLANWYNNO   Aberpennar/Mountain Ash, Bryn Seion   *W*
O.S. ref. ST 04629910
C 1857-1933 • **NLW**   1966-8 • **W GLAM RO**

LLANWYNNO   Aberpennar/Mountain Ash, Darran Road   *W*
O.S. ref. ST 04839991
M 1911-85 **GLAM RO**   1966-8 • **W GLAM RO**

LLANWYNNO   Penrhiw-ceibr, Bethel   *W*
O.S. ref. ST 05939762
C 1857-1933 • **NLW**   1966-8 • **W GLAM RO**

LLANWYNNO   Ynys-y-bŵl, English   *W*
O.S ref. ST 06109394
M 1957-86 **GLAM RO**

MAESTEG   Zion   *Bap.*
O.S. ref. SS 85459136
M 1911-37 **GLAM RO**

MAESTEG   Tabor   *CM*
O.S. ref. SS 85439106
C 1860-1984 **NLW**   M 1910-68, 1971-9 **NLW**

MAESTEG   Nantyffyllon, Jerusalem   *CM*
O.S. ref. SS 85049257
C 1924-61 **NLW**   M 1937-48 **NLW**   B 1924-62 **NLW**

MAESTEG   Nantyffyllon, Trinity   *CM*
O.S. ref. SS 85189257
M 1962-7, 1972 **NLW**

MAESTEG   Carmel   *Cong.*
O.S. ref. SS 85679102
C 1807-37 **PRO**   1829-40 **GLAM RO**

MAESTEG   Castle Street   *W*
O.S. ref. SS 85359141
M 1935-68 **GLAM RO**

MARGAM   Port Talbot, Christ Church   *Bap.*
O.S. ref. SS 74659106
M 1923-85 **W GLAM RO**

MARGAM   Pen-y-cae, Saron   *CM*
O.S. ref. SS 77269035
M 1958-69,1971-80 **NLW**

MARGAM   Port Talbot, Margam Road   *CM*
O.S. ref. SS 77708845
C 1911-84 **NLW**

MARGAM   Tai-bach, Dyffryn   *CM*
O.S. ref. SS 77228897
C 1815-37 **PRO**

MARGAM   Tai-bach, Gibeon   *Cong.*
O.S. ref. SS 77568892
C 1822-37 **PRO**

MERTHYR TUDFUL/MERTHYR TYDFIL   Tabernacle   *Bap.*
O.S. ref. SO 04750667
M 1981-4 **GLAM RO**

MERTHYR TUDFUL/MERTHYR TYDFIL   Zion/Seion   *Bap.*
O.S. ref. SO 05230586
C 1794-1837 **NLW**   B 1831-8 **NLW**

MERTHYR TUDFUL/MERTHYR TYDFIL   Dowlais, Caersalem   *Bap.*
O.S. ref. SO 06740774
C 1828-78 **NLW**   B 1828-78 **NLW**

MERTHYR TUDFUL/MERTHYR TYDFIL   Georgetown, Bethel   *Bap.*
O.S. ref. SO 04450637
C 1810-37 **MTL**   1810-37 **PRO**

MERTHYR TUDFUL/MERTHYR TYDFIL Treharris, Brynhyfryd *Bap.*
O.S. ref. ST 09739683
M 1945-66 **GLAM RO**

MERTHYR TUDFUL/MERTHYR TYDFIL Troed-y-rhiw, Carmel *Bap.*
O.S. ref. SO 07160231
M 1944-61 **GLAM RO**

MERTHYR TUDFUL/MERTHYR TYDFIL Ynysowen/Merthyr Vale, Zion *Bap.*
O.S. ref. ST 07379984
M 1965-9 **GLAM RO**

MERTHYR TUDFUL/MERTHYR TYDFIL Cae Pant-tywyll, Bethlehem *CM*
O.S. ref. SO 04380682
B 1841-90 **MTL**

MERTHYR TUDFUL/MERTHYR TYDFIL Dowlais, Hermon *CM*
O.S. ref. SO 06400761
C 1821-37 **PRO**   M 1900-43 **NLW**

MERTHYR TUDFUL/MERTHYR TYDFIL Pontmorlais *CM*
O.S. ref. SO 05020644
C 1807-37 **PRO**

MERTHYR TUDFUL/MERTHYR TYDFIL Adulam *Cong.*
O.S. ref. SO 05100620
C 1831-7 **PRO**

MERTHYR TUDFUL/MERTHYR TYDFIL Bethesda *Cong.*
O.S. ref. SO 04770645
C 1809-37 **PRO**

MERTHYR TUDFUL/MERTHYR TYDFIL Ynys-gau *Cong.*
O.S. ref. SO 04770619
C 1786-1837 **PRO**

MERTHYR TUDFUL/MERTHYR TYDFIL Zoar *Cong.*
O.S. ref. SO 04970645
C 1810-37 **PRO**

MERTHYR TUDFUL/MERTHYR TYDFIL Dowlais, Bethania *Cong.*
O.S. ref. SO 06560770
C 1825-37 **PRO**

MERTHYR TUDFUL/MERTHYR TYDFIL Dowlais, Brynseion *Cong.*
O.S. ref. SO 06460775
C 1829-37 **PRO**

MERTHYR TUDFUL/MERTHYR TYDFIL   *Q*
O.S. ref. ——————
B 1878-1909 **GLAM RO**

MERTHYR TUDFUL/MERTHYR TYDFIL   Twynyrodyn   *U*
O.S. ref. SO 05090592
C 1804-36 **PRO**

MERTHYR TUDFUL/MERTHYR TYDFIL   Shiloh   *W*
O.S. ref. SO 05040626
C 1837-1906 • **NLW**   1906-33 • **W GLAM RO**

MERTHYR TUDFUL/MERTHYR TYDFIL   Dowlais, English   *W*
O.S. ref. SO 06420761
C 1857-87, 1912-29 **GLAM RO**   M 1953-62 **GLAM RO**

MERTHYR TUDFUL/MERTHYR TYDFIL   Dowlais, Shiloh   *W*
O.S. ref. SO 06450758
C 1837-1906 • **NLW**   1906-12 • **W GLAM RO**

MERTHYR TUDFUL/MERTHYR TYDFIL   Mynwent y Crynwyr/Quakers Yard, Horeb
W
O.S. ref. ST 09829661
C 1837-1906 • **NLW**   1906-33 • **W GLAM RO**

MERTHYR TUDFUL/MERTHYR TYDFIL   Pontmorlais, English   *W*
O.S. ref. SO 05020649
C 1804-37 **PRO**   M 1899-1979 **GLAM RO**

MERTHYR TUDFUL/MERTHYR TYDFIL   Treharris, English   *W*
O.S. ref. ST 09749697
M 1978-85 **GLAM RO**

MERTHYR TUDFUL/MERTHYR TYDFIL   Treharris, Saron   *W*
O.S. ref. ST 09749697
C 1837-1906 • **NLW**   1906-33 • **W GLAM RO**

MERTHYR TUDFUL/MERTHYR TYDFIL   Troed-y-rhiw, English   *W*
O.S. ref. SO 07110237
C 1856-1931 **GLAM RO**

MERTHYR TUDFUL/MERTHYR TYDFIL   Ynysowen/Merthyr Vale, Bethel   *W*
O.S. ref. ST 07709950
C 1837-1906 • **NLW**   1906-33 • **W GLAM RO**

*MERTHYR TYDFIL/MERTHYR TUDFUL gweler uchod/see above

*NEATH/CASTELL-NEDD   Bethany/Bethania   *Bap.*
O.S. ref. SS 75309730
C 1773-1836 **PRO**   M 1955-70 **W GLAM RO**

*NEATH/CASTELL-NEDD   Bethlehem Green   *CM*
O.S. ref. SS 75249776
C 1799, 1811-37 **PRO**   1902-62 **NLW**   B 1913-23 **NLW**

*NEATH/CASTELL-NEDD   *Q*
O.S. ref. SS 75369782
B 1865-9 **W GLAM RO**   1866-8 **NLW**

*NEATH/CASTELL-NEDD   London Road   *W*
O.S. ref. SS 75369733
M 1909-71 **W GLAM RO**

*NEATH RURAL/CASTELL-NEDD WLEDIG   Cwmafan, Seion   *Cong.*
O.S. ref. SS 77489186
C 1822-37 **PRO**   M 1908-88 **W GLAM RO**   B 1760-9 **PRO**

*NEATH RURAL/CASTELL-NEDD WLEDIG   Onllwyn   *Cong.*
O.S. ref. SN 83951012
M 1981-91 **W GLAM RO**

*NEATH RURAL/CASTELL-NEDD WLEDIG   Blaenhonddan   *Q*
O.S. ref._____
B 1829-1909, 1911-27 **W GLAM RO**

*NEATH RURAL/CASTELL-NEDD WLEDIG   Crynant/Y Creunant, Bethel   *W*
O.S. ref. SN 79500513
C 1929-65 • **NLW**

*NEATH RURAL/CASTELL-NEDD WLEDIG   Cwmafan   *W*
O.S. ref. SS 78359226
M 1938-52, 1954-71 **W GLAM RO**

*NEATH RURAL/CASTELL-NEDD WLEDIG Neath Abbey/Mynachlog Nedd, Ebenezer
W
O.S. ref. SS 73669752
C 1810-17, 1837-56, 1885-1930 • **W GLAM RO**   1929-65 • **NLW**
M 1918-69, 1971-81 **W GLAM RO**

*NEATH RURAL/CASTELL-NEDD WLEDIG   Skewen/Sgiwen   *W*
O.S. ref. SS 72349740
M 1907-34 **W GLAM RO**

*OGMORE/OGWR gweler isod/see below

OGWR/OGMORE   Melin Ifan Ddu/Blackmill, Paran   *Bap.*
O.S. ref. SS 93418680
C 1890 **W GLAM RO**   B 1890 **W GLAM RO**

OGWR/OGMORE Nant-y-moel, Horeb   *Bap.*
O.S. ref. SS 93579255
M 1982-8 **GLAM RO**

OGWR/OGMORE Evanstown, Hope   *CM*
O.S. ref. SS 97778945
M 1920-74 **NLW**

OGWR/OGMORE Nant-y-moel, Dinam   *CM*
O.S. ref. SS 93539257
C 1903-18 **NLW** M 1912-85 **GLAM RO**

OGWR/OGMORE Pricetown, Bethany   *CM*
O.S. ref. SS 93799205
M 1911-69,1971-80 **NLW**

OGWR/OGMORE Tynewydd, Hermon   *CM*
O.S. ref. SS 93359021
C 1896-1952 **NLW**

*OYSTERMOUTH/YSTUMLLWYNARTH Newton, Paraclete   *Cong.*
O.S. ref. SS 60408815
C 1820-36 **PRO** B 1836 **PRO**

*OYSTERMOUTH/YSTUMLLWYNARTH Mumbles/Mwmbwls, Victoria Church   *W*
O.S. ref. SS 61608811
B 1898-1923 **NLW**

PENARTH Plassey Street, Tabernacle   *Bap.*
O.S. ref. ST 18387192
C 1917-42 **GLAM RO**

PENARTH   *Q*
O.S. ref._____
B 1911-27 **GLAM RO**

PEN-Y-BONT AR OGWR/BRIDGEND Ruhamah   *Bap.*
O.S. ref. SS 90527984
C 1800-37 **PRO**

PEN-Y-BONT AR OGWR/BRIDGEND Nolton Street   *CM*
O.S. ref. SS 90647969
C 1945-71 **NLW** B 1944-9 **NLW**

PEN-Y-BONT AR OGWR/BRIDGEND Tabernacle   *Cong.*
O.S. ref. SS 90617983
C 1785-1837 **PRO** 1810-40 **NLW** 1801-47, 1857-91 **GLAM RO**
B 1861-74 **GLAM RO**

PEN-Y-BONT WLEDIG/BRIDGEND RURAL Bryncethin, Nazareth   *Bap.*
O.S. ref. SS 91358449
M 1960-9 **GLAM RO**

PEN-Y-BONT WLEDIG/BRIDGEND RURAL Llangynwyd, Cwmfelin, Calfaria   *Bap.*
O.S. ref. SS 86228978
M 1981-6 **GLAM RO**

PEN-Y-BONT WLEDIG/BRIDGEND RURAL Ton-du, Jerusalem   *Bap.*
O.S. ref. SS 89278407
M 1938-48 **GLAM RO**

PEN-Y-BONT WLEDIG/BRIDGEND RURAL Pen-coed, Salem   *CM*
O.S. ref. SS 95878124
B 1792-1809 **NLW**

PEN-Y-BONT WLEDIG/BRIDGEND RURAL Saint-y-brid/St Brides Major, Bryn Sion
CM
O.S. ref. SS 89627497
M 1976-86 **NLW**

PEN-Y-BONT WLEDIG/BRIDGEND RURAL Trelales/Laleston, Horeb   *CM*
O.S. ref. SS 87767992
C 1882-1980 **NLW**

PEN-Y-BONT WLEDIG/BRIDGEND RURAL Bryncethin, Peniel   *Cong.*
O.S. ref. SS 91138394
C 1801-40, 1857-91 **GLAM RO** B 1861-74 **GLAM RO**

PEN-Y-BONT WLEDIG/BRIDGEND RURAL Brynmenyn, Betharran *Cong.*
O.S. ref. SS 90598488
C 1801-40, 1857-91 **GLAM RO** B 1861-74 **GLAM RO**

PEN-Y-BONT WLEDIG/BRIDGEND RURAL Cefncribwr, Siloam   *Cong.*
O.S. ref. SS 85488288
C 1807-37 **PRO**

PEN-Y-BONT WLEDIG/BRIDGEND RURAL Coety, Gilead   *Cong.*
O.S. ref. SS 92198155
C 1801-40, 1857-91 **GLAM RO** B 1861-74 **GLAM RO**

PEN-Y-BONT WLEDIG/BRIDGEND RURAL Heol-y-cyw, Bethel/Bethel Newydd
Cong.
O.S. ref. SS 94638457/SS 94528433
C 1801-47, 1857-91 **GLAM RO** 1810-37 **PRO** B 1861-74 **GLAM RO**

PEN-Y-BONT WLEDIG/BRIDGEND RURAL Mynyddcynffig/Kenfig Hill, Elim *Cong.*
O.S. ref. SS 84018322
M 1899-1970, 1975-83 **GLAM RO**

PEN-Y-BONT WLEDIG/BRIDGEND RURAL   Llangynwyd, Bethesda   *Cong.*
O.S. ref. SS 85738891
C 1807-37 **PRO**

PONTARDAWE   Clydach, Bethania   *Bap.*
O.S. ref. SN 68620150
C 1807, 1812, 1839-71 **NLW**   B 1839-71 **NLW**

PONTARDAWE   Cwm-twrch, Beulah   *Bap.*
O.S. ref. SN 76681030
C 1899-1928 **NLW**   B 1899-1928 **NLW**

PONTARDAWE   Cwm-twrch, Capel Newydd   *Bap.*
O.S. ref. SN 76541040
M 1953-78 **NLW**

PONTARDAWE   Ystalyfera, Zoar/Soar   *Bap.*
O.S. ref. SN 76530868
M 1902-79 **W GLAM RO**

PONTARDAWE   Allt-wen   *Cong.*
O.S. ref. SN 72650331
C 1760-1837 **PRO**   B 1760-9 **PRO**

PONTARDAWE   Clydach, Hebron   *Cong.*
O.S. ref. SN 68800107
C 1808-37 **PRO**

PONTARDAWE   Cwmllynfell, Seion   *Cong.*
O.S. ref. SN 74681240
C 1760-1835 **PRO**   B 1760-9 **PRO**

PONTARDAWE   Gwauncaegurwen, Hen Gapel   *Cong.*
O.S. ref. SN 71011134
C 1822-37 **PRO**

PONTARDAWE   Ystalyfera, Pant-teg   *Cong.*
O.S. ref. SN 76060798
C 1822-37 **PRO**

PONTARDAWE   Gellionnen   *U*
O.S. ref. SN 70070415
C 1763-1814 **PRO**   M 1880-6 **NLW**   B 1786 **PRO**   1862-87 **NLW**

PONTARDAWE   English   *W*
O.S. ref. SN 72440405
M 1924-77 **W GLAM RO**

PONTARDAWE Horeb *W*
O.S. ref. SN 72030415
C 1929-65 • **NLW**

PONTARDAWE Cwm-gors *W*
O.S. ref. SN 70371137
M 1959-68 **W GLAM RO**

PONTARDAWE Gurnos *W*
O.S. ref. SN 77010993
C 1810-17, 1837-56 • **W GLAM RO**

PONTARDAWE Ystalyfera, Capel Seion *W*
O.S. ref. SN 76850904
C 1810-17, 1837-56, 1885-1930 • **W GLAM RO** 1929-65 • **NLW**

PONTYPRIDD Tabernacle *Bap.*
O.S. ref. ST 07389044
M 1961-81 **GLAM RO**

PONTYPRIDD Penuel *CM*
O.S. ref. ST 07269021
M 1929, 1936-60 **NLW**

PONTYPRIDD St David's *CM*
O.S. ref. ST 07179026
M 1929 **NLW**

PONTYPRIDD Cilfynydd, Bethany *CM*
O.S. ref. ST 08739245
C 1957-72 **NLW** M 1958-78 **GLAM RO**

PONTYPRIDD Cilfynydd, Bethel *CM*
O.S. ref. ST 08799234
M 1967-70 **NLW**

PONTYPRIDD Coedpenmaen, Bethania *CM*
O.S. ref. ST 07779077
C 1931 **NLW** M 1969-70 **NLW**

PONTYPRIDD Gyfeillion, Siloam *CM*
O.S. ref. ST 04869097
C 1929-31 **NLW** M 1929 **NLW** B 1929-31 **NLW**

PONTYPRIDD Sardis *Cong.*
O.S. ref. ST 07118990
M 1982 **GLAM RO**

PONTYPRIDD Cilfynydd. Moriah   *Cong.*
O.S. ref. ST 08789229
M 1901-89 **GLAM RO**

PONTYPRIDD Cilfynydd   *PM*
O.S. ref. ST 08719216
C 1956-72 **GLAM RO**

PONTYPRIDD Pwll-gwaun/Mount Tabor   *PM*
O.S. ref. ST 06629027
C 1953-78 **GLAM RO**

PONTYPRIDD Gelliwastad Road   *W*
O.S. ref. ST 07219035
M 1933-57 **GLAM RO**

RHIGOS.Y Bethel   *W*
O.S. ref. SN 91340606
C 1857-1933 • **NLW** 1966-8 • **W GLAM RO**

RHONDDA. Y Blaenrhondda. Calfaria   *Bap.*
O.S. ref. SS 92759978
M 1952-74 **GLAM RO**

RHONDDA. Y Cwm-parc. Bethel   *Bap.*
O.S. ref. SS 94859594
M 1983-8 **GLAM RO**

RHONDDA. Y Glynrhedyn/Ferndale. Bethel   *Bap.*
O.S. ref. SS 99999692
M 1923-88 **GLAM RO**

RHONDDA. Y Pentre. Moriah   *Bap.*
O.S. ref. SS 96849619
M 1956-88 **GLAM RO**

RHONDDA. Y Porth. Hannah Street. Tabernacl   *Bap.*
O.S. ref. ST 02629129
M 1972-88 **GLAM RO**

RHONDDA. Y Porth. Salem   *Bap.*
O.S. ref. ST 02769117
M 1962-86 **GLAM RO**

RHONDDA. Y Ton. Hebron   *Bap.*
O.S. ref. SS 97189536
M 1948-87 **GLAM RO**

RHONDDA, Y Treherbert, Bethany   *Bap.*
O.S. ref. SS 93749856
M 1934-8 **GLAM RO**

RHONDDA, Y Ynys-fach, Nebo   *Bap.*
O.S. ref. SS 98129519
C 1795-1849 **NLW**

RHONDDA, Y Ynys-hir, Ainon   *Bap.*
O.S. ref. ST 02449280
M 1916-69, 1971-87 **GLAM RO**

RHONDDA, Y Blaenclydach, Libanus   *CM*
O.S. ref. SS 98179305
C 1891-4, 1899, 1913, 1915, 1939 **NLW**   B 1939-40 **NLW**

RHONDDA, Y Blaenrhondda, Bethesda   *CM*
O.S. ref. SN 92650010
M 1917-59, 1964-8 **NLW**

RHONDDA, Y Cwm-parc, Woodland Terrace   *CM*
O.S. ref. SS 94829596
C 1956-79 **NLW**   B 1947-72 **NLW**

RHONDDA, Y Cymer, Horeb   *CM*
O.S. ref. ST 02459081
C 1930 **NLW**

RHONDDA, Y Glynrhedyn/Ferndale, Penuel   *CM*
O.S. ref. ST 00019670
M 1945-81 **NLW**

RHONDDA, Y Heol-fach, Bethel   *CM*
O.S. ref. SS 98459512
B 1935-81 **NLW**

RHONDDA, Y Y Maerdy, Bethania   *CM*
O.S. ref. SS 97609805
C 1902-11, 1942, 1947-89 **NLW**

RHONDDA, Y Pentre, Nazareth   *CM*
O.S. ref. SS 96989600
C 1952 **NLW**   M 1911-74 **NLW**   B 1935-81 **NLW**

RHONDDA, Y Tonpentre, Jerusalem   *CM*
O.S. ref. SS 97119527
C 1935-68 **NLW**   M 1913-32, 1935-66, 1972-6 **NLW**   B 1935-81 **NLW**

RHONDDA, Y   Treherbert, Horeb   *CM*
O.S. ref. SS 93639850
M 1908-70 **NLW**

RHONDDA, Y   Trewiliam/Williamstown, Nazareth   *CM*
O.S. ref. ST 00019103
M 1954 **NLW**

RHONDDA, Y   Tylorstown, Libanus   *CM*
O.S. ref. ST 01119554
C 1942-74 **NLW**

RHONDDA, Y   Ynys-wen, Penuel   *CM*
O.S. ref. SS 94739765
C 1929-31 **NLW**

RHONDDA, Y   Cymer   *Cong.*
O.S. ref. ST 02529094
C 1796-1844 **GLAM RO**

RHONDDA, Y   Llwynypia, Salem   *Cong.*
O.S. ref. SS 99629378
M 1981-4 **GLAM RO**

RHONDDA, Y   Tylorstown, Ebenezer   *Cong.*
O.S. ref. ST 01039530
M 1918-78 **GLAM RO**

RHONDDA, Y   Tynewydd, Ebenezer   *Cong.*
O.S. ref. SS 93179897
M 1942-70, 1972-81 **GLAM RO**

RHONDDA, Y   Ystrad, Bodringallt   *Cong.*
O.S. ref. SS 98609504
M 1900-51, 1953-84 **GLAM RO**

RHONDDA, Y   Gelligaled   *W*
O.S. ref. SS 98799505
M 1945-70 **GLAM RO**

RHONDDA, Y   Clydach Vale, English   *W*
O.S. ref. SS 98309297
M 1943-71 **GLAM RO**

RHONDDA, Y   Glynrhedyn/Ferndale, English   *W*
O.S. ref. SS 99989692
M 1901-87 **GLAM RO**

RHONDDA, Y   Pentre, English   *W*
O.S. ref. SS 97139567
M 1926-66 **GLAM RO**

RHONDDA,Y   Tonypandy, English   *W*
O.S. ref. SS 99639223
M 1923-79 **GLAM RO**

RHONDDA, Y   Treorci/Treorchy, Calfaria   *W*
O.S. ref. SS 96109663
M 1932-62, 1967, 1972-3 **GLAM RO**

RHONDDA, Y   Ystradyfodwg, Tabernacle   *W*
O.S. ref. SS 97829517
M 1958-70, 1972-4 **GLAM RO**

*SWANSEA/ABERTAWE   Oxford Street   *BC*
O.S. ref. SS 65019283
M 1920-40 **W GLAM RO**

*SWANSEA/ABERTAWE   Dan-y-graig, Mount Calvary   *Bap.*
O.S. ref. SS 67589338
B 1901-2 **NLW**

*SWANSEA/ABERTAWE   Foxhole, Tabernacle   *Bap.*
O.S. ref. SS 66379444
C 1874-94 **NLW**   B 1874-1901 **NLW**

*SWANSEA/ABERTAWE   Gendros   *Bap.*
O.S. ref. SS 63159553
M 1981-7 **W GLAM RO**

*SWANSEA/ABERTAWE   High Street, Bethesda   *Bap.*
O.S. ref. SS 65789390
C 1867-89 **NLW**   M 1900-69 **W GLAM RO**   B 1867-86 **NLW**

*SWANSEA/ABERTAWE   Manselton, Cecil Street   *Bap.*
O.S. ref. SS 65019541
M 1924-69 **W GLAM RO**

*SWANSEA/ABERTAWE   Morriston/Treforys, Calfaria   *Bap.*
O.S. ref. SS 66819757
M 1969-80 **W GLAM RO**

*SWANSEA/ABERTAWE   Mount Pleasant   *Bap.*
O.S. ref. SS 65439317
C 1811-37 **PRO**

*SWANSEA/ABERTAWE   Spring Terrace, St Helen's   *Bap.*
O.S. ref. SS 64919266
M 1936-42 **W GLAM RO**

*SWANSEA/ABERTAWE   Townhill   *Bap.*
O.S. ref. SS 63929370
C 1928-67. 1982 **W GLAM RO**

*SWANSEA/ABERTAWE   York Place   *Bap.*
O.S. ref. SS 65809280
C 1801-37 **PRO**

*SWANSEA/ABERTAWE   Alexandra Road   *CM*
O.S. ref. SS 65619348
C 1897-1933 **NLW**

*SWANSEA/ABERTAWE   Argyle   *CM*
O.S. ref. SS 64829276
C 1906-52 **NLW**

*SWANSEA/ABERTAWE   Bôn-y-maen, Salem/Capel y Cwm   *CM*
O.S. ref. SS 67769573
C 1820-37 **PRO**

*SWANSEA/ABERTAWE   Cwmbwrla, Y Babell   *CM*
O.S. ref. SS 64589478
C 1853-1924, 1955-9, 1973-83 **NLW**   M 1972-81 **NLW**   B 1955-8, 1972-87 **NLW**

*SWANSEA/ABERTAWE   Landore/Glandŵr, Tabernacle   *CM*
O.S. ref. SS 65969542
M 1939 **NLW**

*SWANSEA/ABERTAWE   Park Street, Trinity   *CM*
O.S. ref. SS 63179297
C 1808-37 **PRO**   M 1929 **NLW**

*SWANSEA/ABERTAWE   Pentre-chwyth, Bethlehem   *CM*
O.S. ref. SS 67209519
C 1909-78 **NLW**

*SWANSEA/ABERTAWE   Plas-marl, Smyrna   *CM*
O.S. ref. SS 66369645
M 1936 **NLW**

*SWANSEA/ABERTAWE   Castle Street   *Cong.*
O.S. ref. SS 65689327
C 1827-37 **PRO**

*SWANSEA/ABERTAWE Dan-y-graig *Cong.*
O.S. ref. SS 67549327
C 1884-1925 **NLW** M 1891-1925 **NLW** B 1884-1925 **NLW**

*SWANSEA/ABERTAWE Ebenezer *Cong.*
O.S. ref. SS 65649369
C 1804-74 **NLW**

*SWANSEA/ABERTAWE Herbert Place, Countess of Huntingdon/Burrows *Cong.*
O.S. ref. SS 65029292
C 1768-1837 **PRO**

*SWANSEA/ABERTAWE Morriston/Treforys, Libanus *Cong.*
O.S. ref. SS 67359867
C 1809-37 **PRO**

*SWANSEA/ABERTAWE Pell Street *PM*
O.S. ref. SS 65359315
M 1908-40 **W GLAM RO**

*SWANSEA/ABERTAWE *Q*
O.S. ref. SS 65679332
B 1781-90, 1806, 1838-63, 1865-77 **GLAM RO**

*SWANSEA/ABERTAWE High Street *U*
O.S. ref. SS 65679326
C 1751-95, 1814-37 **PRO** B 1783-4, 1814-37 **PRO**

*SWANSEA/ABERTAWE Alexandra Road, Tabernacle *W*
O.S. ref. SS 65579354
C 1810-17, 1837-56, 1885-1930 • **W GLAM RO** M 1904-33 **W GLAM RO**

*SWANSEA/ABERTAWE College Street, Wesley Mission *W*
O.S. ref. SS 63959364
C 1941-52 **W GLAM RO**

*SWANSEA/ABERTAWE Goat Street/Bunker's Hill *W*
O.S. ref. SS 65599318
C 1805-37 **PRO** 1810-17, 1837-56, 1885-1930 • **W GLAM RO**

*SWANSEA/ABERTAWE Landore/ Glandŵr *W*
O.S. ref. SS 65759558
C 1867-1991 **W GLAM RO** M 1948-70 **W GLAM RO**

*SWANSEA/ABERTAWE Morriston/Treforys *W*
O.S. ref. SS 67019807
M 1940-59, 1962 **W GLAM RO**

*SWANSEA/ABERTAWE   St Alban's Road   *W*
O.S. ref. SS 63709239
C 1904-76 **W GLAM RO**   M 1913-28 **W GLAM RO**   1919-69 **W GLAM RO**

*SWANSEA/ABERTAWE   St Helens Road, Brunswick   *W*
O.S. ref. SS 64709268
C 1873-1906 **W GLAM RO**

*SWANSEA/ABERTAWE   Tontine Street, Tabernacle   *W*
O.S. ref. SS 65689371
C 1810-17, 1837-56, 1885-1930 • **W GLAM RO**   1812-37 **PRO**

*SWANSEA/ABERTAWE   Townhill   *W*
O.S. ref. SS 63959364
M 1955-71 **W GLAM RO**

*SWANSEA RURAL/ABERTAWE WLEDIG   Llansamlet, Heol-las, Ainon   *Bap.*
O.S. ref. SS 69729848
C 1918-75 **W GLAM RO**   M 1920-57 **W GLAM RO**

*SWANSEA RURAL/ABERTAWE WLEDIG   Pont-lliw/Grovesend, Bethania   *Bap.*
O.S. ref. SN 59090083
M 1954-67 **W GLAM RO**

*SWANSEA RURAL/ABERTAWE WLEDIG   Sketty/Sgeti, Carnglas Road   *Bap.*
O.S. ref. SS 62306230
M 1952-7 **W GLAM RO**

*SWANSEA RURAL/ABERTAWE WLEDIG   Tre-boeth, Caersalem Newydd   *Bap.*
O.S. ref. SS 65209731
C 1839-71 **NLW**   M 1841-53 **NLW**   B 1839-71 **NLW**

*SWANSEA RURAL/ABERTAWE WLEDIG   Clase/Clas, Llangyfelach, Bethel   *CM*
O.S. ref. SS 64789899
C 1811-37 **PRO**

*SWANSEA RURAL/ABERTAWE WLEDIG   Llansamlet, Llwynbrwydrau, Ebenezer
CM
O.S. ref. SS 70419726
M 1912-70, 1977 **NLW**

*SWANSEA RURAL/ABERTAWE WLEDIG   Llansamlet, Peniel Green, Seion   *CM*
O.S. ref. SS 69669763
C 1907-83 **NLW**   B 1911-12 **NLW**

*SWANSEA RURAL/ABERTAWE WLEDIG   Loughor/Casllwchwr, Moriah   *CM*
O.S. ref. SS 57709811
C 1832-41 **NLW**

*SWANSEA RURAL/ABERTAWE WLEDIG Gowerton/Tre-gŵyr, Tabernacle *Cong.*
O.S. ref. SS 59269624
M 1922 **NLW**

*SWANSEA RURAL/ABERTAWE WLEDIG Llansamlet, Bethel *Cong.*
O.S. ref. SS 69379738
C 1794-1837 **PRO** M 1983-7 **W GLAM RO**

*SWANSEA RURAL/ABERTAWE WLEDIG Loughor/Casllwchwr, Horeb *Cong.*
O.S. ref. SS 56399803
M 1918-80 **W GLAM RO**

*SWANSEA RURAL/ABERTAWE WLEDIG Mynydd-bach/Tir Doncyn *Cong.*
O.S. ref. SS 64889788
C 1688-1784 **NLW** 1793-1837 **PRO** M 1700-74 **NLW** 1983-4 **W GLAM RO**
B 1676-1784 **NLW**

*SWANSEA RURAL/ABERTAWE WLEDIG Gorseinon, English *W*
O.S. ref. SS 59539847
C 1955-64 **W GLAM RO**

*SWANSEA RURAL/ABERTAWE WLEDIG Pontarddulais, Trinity *W*
O.S. ref. SN 59260348
C 1810-17, 1837-56, 1885-1930 • **W GLAM RO**

YSTUMLLWYNARTH/OYSTERMOUTH Newton, Paraclete *Cong.*
O.S. ref. SS 60408815
C 1820-36 **PRO** B 1836 **PRO**

YSTUMLLWYNARTH/OYSTERMOUTH Mwmbwls/Mumbles, Victoria Church *W*
O.S. ref. SS 61608811
B 1898-1923 **NLW**

MYNWY / MONMOUTHSHIRE

ABER-CARN   Darren View   *W*
O.S. ref. ST 21629452
C 1923-69 **GWENT RO**

*ABERGAVENNY/Y FENNI   Frogmore Street   *Bap.*
O.S. ref. SO 29711451
C 1773-1836 **PRO**

*ABERGAVENNY/Y FENNI   Castle Street   *Cong.*
O.S. ref. SO 29901410
C 1711-1837 **PRO**   B 1806-9, 1837 **PRO**

*ABERGAVENNY/Y FENNI   *W*
O.S. ref. SO 29841413
C 1812-37 **PRO**   1853-92 **GWENT RO**

ABERSYCHAN   High Street   *Bap.*
O.S. ref. SO 26470348
C 1827-37 **PRO**

ABERSYCHAN   Garndiffaith, Tabernacle   *CM*
O.S. ref. SO 26310458
C 1822-37 **PRO**   1888-1932 **NLW**   M 1903-70, 1976-7 **NLW**

ABERSYCHAN   Babell/Siloh   *Cong.*
O.S. ref. SO 26460354
C 1834-7 **PRO**

ABERSYCHAN   Pontnewynydd, Ebenezer   *Cong.*
O.S. ref. SO 26780182
C 1799-1837 **PRO**   B 1829-37 **PRO**

ABERSYCHAN   Trinity   *W*
O.S. ref. SO 26660339
C 1838-55 **GWENT RO**

ABERSYCHAN   Cwmafon   *W*
O.S. ref. SO 26900620
C 1908-67 **GWENT RO**

ABERSYCHAN   Farteg/Varteg   *W*
O.S. ref. SO 26620586
C 1812-37 **PRO**   1838-57,1871-1975 **GWENT RO**   1843-50,1852-82 **NLW**
B 1869-92, 1920-58 **GWENT RO**

ABERSYCHAN   Garndiffaith, Earl Street   *W*
O.S. ref. SO 26270454
C 1840-57, 1892-1937 **GWENT RO**   M 1920-82 **GWENT RO**

ABERSYCHAN   Garndiffaith, Victoria Village, Harpers Road   *W*
O.S. ref. SO 26780418
M 1953-69 **GWENT RO**

*ABERTILLERY/ABERTYLERI   gweler isod/see below

ABERTYLERI/ABERTILLERY   Blaenau Gwent   *Bap.*
O.S. ref. SO 21540467
C 1898 **NLW**   M 1966-70, 1976-87 **GWENT RO**   B 1743-85, 1834-54 **NLW**

ABERTYLERI/ABERTILLERY   Six Bells, Bethany   *Bap.*
O.S. ref. SO 22060305
M 1935-45, 1948-52 **GWENT RO**

ABERTYLERI/ABERTILLERY   Carmel   *CM*
O.S. ref. SO 21680405
C 1954-66 **NLW**   M 1955-67 **NLW**

ABERTYLERI/ABERTILLERY   Six Bells   *CM*
O.S. ref. SO 22200310
C 1928-78 **NLW**   M 1909-70, 1972-7 **NLW**

ABERTYLERI/ABERTILLERY   Blaenau Gwent   *PM/W*
O.S. ref. SO 21440486
C 1938-56 **GWENT RO**

ABERTYLERI/ABERTILLERY   Cwmtyleri/Cwmtillery, West Bank   *PM/W*
O.S. ref. SO 21590588
C 1942-71 **GWENT RO**

ABERTYLERI/ABERTILLERY   Six Bells   *PM/W*
O.S. ref. SO 22270306
C 1940-78 **GWENT RO**

ABERTYLERI/ABERTILLERY   Cwmtyleri/Cwmtillery   *W*
O.S. ref. SO 21840598
C 1895-1975 **GWENT RO**   M 1943-70 **GWENT RO**

ABERTYLERI/ABERTILLERY   Somerset Street   *W*
O.S. ref. SO 21840385
M 1915-75 **GWENT RO**

ABERTYLERI/ABERTILLERY   Tillery Street   *W*
O.S. ref. SO 21820436
C 1871-1975 **GWENT RO**

ABERYSTRUTH Nant-y-glo, Garn-fach, Hermon *Bap.*
O.S. ref. SO 19540995
C 1812-37 **PRO** 1830-1905 **NLW** M 1943-53 **GWENT RO** B 1848-1901 **NLW**

ABERYSTRUTH Blaenau/Blaina, Hope/Gobaith *CM*
O.S. ref. SO 20170816
C 1907-78 **+ NLW**

ABERYSTRUTH Blaenau/Blaina, Hope Hall *CM*
O.S. ref. SO 20070746
C 1907-78 **+ NLW**

ABERYSTRUTH Nant-y-glo, Salem *CM*
O.S. ref. SO 18671096
C 1818-37 **PRO**

ABERYSTRUTH Blaenau/Blaina, Gladstone Street *PM/W*
O.S. ref. SO 20170801
C 1923-38 • 1939-68 **GWENT RO**

ABERYSTRUTH Cwmcelyn *PM/W*
O.S. ref. SO 20530858
C 1923-38 • 1940-71 **GWENT RO**

ABERYSTRUTH Nant-y-glo, Garn-fach *PM/W*
O.S. ref. SO 19640980
C 1923-38 • 1938-65 **GWENT RO**

ABERYSTRUTH Blaenau/Blaina, High Street *W*
O.S. ref. SO 20060835
C 1843-50, 1852-82 **NLW** 1883-1958 **GWENT RO**
M 1931-43, 1945-58 **GWENT RO**

ABERYSTRUTH Nant-y-glo *W*
O.S. ref. SO 19231084
C 1837 • **W GLAM RO** 1843-50, 1852-82 • **NLW** M 1944-70, 1972-7 **NLW**

ABERYSTRUTH Nant-y-glo, English *W*
O.S. ref. SO 19191079
C 1817-37 **PRO** 1840-92 **GWENT RO**

BEDWAS Maesycwmer *W*
O.S. ref. ST 15779478
C 1948-70 **GLAM RO** M 1960-1 **GWENT RO**

BEDWELLTE/BEDWELLTY Markham *W*
O.S. ref. SO 16620171
C 1933, 1944-79 **GWENT RO** M 1959 **GWENT RO**

*BLACKWOOD/COED-DUON Rock *CM*
O.S. ref. ST 17839866
C 1803-36 **PRO**

BLAENAFON/BLAENAVON   Penuel   *CM*
O.S. ref. SO 25170920
C 1813-37 **PRO**

BLAENAFON/BLAENAVON   Bethlehem   *Cong.*
O.S. ref. SO 25240886
C 1803-37 **PRO**

BLAENAFON/BLAENAVON   Broad Street   *PM*
O.S. ref. SO 25320902
M 1944-65 **GWENT RO**

BLAENAFON/BLAENAVON   Park Street   *W*
O.S. ref. SO 25120889
C 1840-59 **GWENT RO**

*BLAENAVON/BLAENAFON   gweler uchod/see above

CAER-WENT   *Bap.*
O.S. ref. ST 46869070
C 1816-34 **PRO**

*CAERLEON/CAERLLION   gweler isod/see below

CAERLLION/CAERLEON   *Bap.*
O.S. ref. ST 34239045
C 1773-1930 **NLW**   M 1839-1928 **NLW**   B 1787-1930 **NLW**

CAERLLION/CAERLEON   *Cong.*
O.S. ref. ST 34479003
C 1826-36 **PRO**

CALDICOT   *W*
O.S. ref. ST 47958827
C 1895-1934 **GRO**

CAS-GWENT/CHEPSTOW   Beulah   *Cong.*
O.S. ref. ST 53219385
C 1828-37 **PRO**   1865-1954 **GWENT RO**   M 1865-1957 **GWENT RO**
B 1865-1958 **GWENT RO**

CASNEWYDD/NEWPORT   Alma Street   *Bap.*
O.S. ref. ST 31218715
M 1962-70, 1972 **GWENT RO**

CASNEWYDD/NEWPORT   Charles Street   *Bap.*
O.S. ref. ST 31098781
M 1965-76 **GWENT RO**

CASNEWYDD/NEWPORT   Commercial Street   *Bap.*
O.S. ref. ST 31178784
C 1798-9, 1804-37 **PRO**

CASNEWYDD/NEWPORT   Pillgwenlly, Commercial Road   *Bap.*
O.S. ref. ST 31438724
M 1932-61 **GWENT RO**

CASNEWYDD/NEWPORT   Caerleon Road   *CM*
O.S. ref. ST 31968897
C 1894-1968 **NLW**   M 1897-1911, 1927-62 **NLW**

CASNEWYDD/NEWPORT   Ebenezer   *CM*
O.S. ref. ST 31378753
C 1816-37 **PRO**

CASNEWYDD/NEWPORT   Betws, Mill Street   *Cong.*
O.S. ref. ST 30968845
C 1770-1838, 1871, 1905-28 **GWENT RO**   1770-1849 **NLW**   M 1871-3 **GWENT RO**
B 1770-1849 **NLW**

CASNEWYDD/NEWPORT   Commercial Street, Hope   *Cong.*
O.S. ref. ST 31408721
C 1812-37 **PRO**

CASNEWYDD/NEWPORT   Commercial Street, Tabernacle   *Cong.*
O.S. ref. ST 31218788
C 1812-42, 1895-1964 **GWENT RO**   1821-37 **PRO** M 1838-61 **GWENT RO**
B 1822 **GWENT RO**   1831-7 **PRO**

CASNEWYDD/NEWPORT   Hill Street, Mynydd Seion/Mount Zion   *Cong.*
O.S. ref. ST 31168775
C 1834-7 **PRO**

CASNEWYDD/NEWPORT   Maindee, London Street, Emmanuel   *Cong.*
O.S. ref. ST 32088846
C 1891-9 **GWENT RO**

CASNEWYDD/NEWPORT   Victoria Road   *Cong.*
O.S. ref. ST 31098771
C 1938-56 **GWENT RO**   M 1945-9 **GWENT RO**

CASNEWYDD/NEWPORT   Hill Street   *FM*
O.S. ref. ST 31188775
C 1933-8 **GWENT RO**   M 1906-60 **GWENT RO**

CASNEWYDD/NEWPORT   *Q*
O.S. ref. ST 31078777
C 1835 **GLAM RO**   B 1839-71, 1902-9, 1911-27 **GLAM RO**

CASNEWYDD/NEWPORT   Pillgwenlly, Commercial Road   *W*
O.S. ref. ST 31668681
C 1810-37 **PRO**

CASNEWYDD/NEWPORT   Stow Hill, Wesley   *W*
O.S. ref. ST 31018798
M 1949-73 **GWENT RO**

CASNEWYDD/NEWPORT   Victoria Avenue   *W*
O.S. ref. ST 32418846
M 1917-82 **GWENT RO**

*CHEPSTOW/CAS-GWENT   Beulah   *Cong.*
O.S. ref. ST 53219385
C 1828-37 **PRO**   1865-1954 **GWENT RO**   M 1865-1957 **GWENT RO**
B 1865-1958 **GWENT RO**

COED-DUON/BLACKWOOD   Rock   *CM*
O.S. ref. ST 17839866
C 1803-36 **PRO**

CROSSKEYS   Hope   *Bap.*
O.S. ref. ST 22089211
M 1963-79 **GWENT RO**

CROSSKEYS   Gladstone Street   *PM*
O.S. ref. ST 22019187
C 1887-1975 **GWENT RO**

CROSSKEYS   Pont-y-waun   *W*
O.S. ref. ST 22049234
M 1919-75 **GWENT RO**

*CRUMLIN/CRYMLYN   gweler isod/see below

CRYMLYN/CRUMLIN   Main Street   *PM*
O.S. ref. ST 21269836
C 1900-60 **GWENT RO**

CRYMLYN/CRUMLIN   Hillside   *W*
O.S. ref. ST 21189837
C 1923-77 **GWENT RO**

CWM-IOU/CWMYOY   Tabernacle Foothog   *Bap.*
O.S. ref. SO 28402270
C 1843-73 **NLW**   B 1813-48 **NLW**

*CWMYOY/CWM-IOU   gweler uchod/see above

*EBBW VALE/GLYNEBWY Briery Hill, Spencer Street, Brynhyfryd *Bap.*
O.S. ref. SO 16790879
M 1945-68 **GWENT RO**

*EBBW VALE/GLYNEBWY Mount Pleasant Road, Nebo *Bap.*
O.S. ref. SO 16630988
M 1949-86 **GWENT RO**

*EBBW VALE/GLYNEBWY Newtown, Providence *Bap.*
O.S. ref. SO 17070994
M 1941-61 **GWENT RO**

*EBBW VALE/GLYNEBWY Bethesda *CM*
O.S. ref. SO 16810890
C 1938-61 **NLW**

*EBBW VALE/GLYNEBWY Penuel *CM*
O.S. ref. SO 16810900
C 1819-37 **PRO** 1914-85 **NLW** M 1930-86 **GWENT RO** B 1929-87 **NLW**

*EBBW VALE/GLYNEBWY Beaufort/Cendl, Bethesda *CM*
O.S. ref. SO 16751161
C 1824-37 **PRO** M 1972-6 **NLW**

*EBBW VALE/GLYNEBWY Cwm, River Road *CM*
O.S. ref. SO 18370528
C 1935-86 **NLW** M 1927-86 **NLW**

*EBBW VALE/GLYNEBWY Briery Hill, Tabernacle *Cong.*
O.S. ref. SO 16790914
M 1919-46, 1954-73 **GWENT RO** B 1958-69 **GWENT RO**

*EBBW VALE/GLYNEBWY Beaufort/Cendl, Carmel *Cong.*
O.S. ref. SO 16221156
C 1826-37 **PRO** 1895-9 **GWENT RO** B 1877-81 **GWENT RO**

*EBBW VALE/GLYNEBWY Beaufort Road *W*
O.S. ref. SO 16811004
C 1799, 1809-37 **PRO**

*EBBW VALE/GLYNEBWY Bethcar *W*
O.S. ref. SO 16770960
C 1837 • **W GLAM RO** 1843-50, 1852-82 • **NLW** M 1919-67 **GWENT RO**

*EBBW VALE/GLYNEBWY James Street *W*
O.S. ref. SO 16740976
C 1921-67 **GWENT RO** M 1901-70 **GWENT RO**

*EBBW VALE/GLYNEBWY Waun-lwyd *W*
O.S. ref. SO 17750685
C 1909-56 **GWENT RO**

*EBBW VALE/GLYNEBWY Beaufort/Cendl, Sardis *W*
O.S. ref. SO 16921167
C 1837 • **W GLAM RO** 1843-50, 1852-82 • **NLW** 1853-1948 **GWENT RO**

*EBBW VALE/GLYNEBWY Cwm, Mill Terrace *W*
O.S. ref. SO 18480532
C 1903-55 **GWENT RO** M 1949-61 **GWENT RO**

*EBBW VALE/GLYNEBWY Victoria, Park Road *W*
O.S. ref. SO 16980788
C 1854-1979 **GWENT RO**

FENNI,Y/ABERGAVENNY Frogmore Street *Bap.*
O.S. ref. SO 29711451
C 1773-1836 **PRO**

FENNI,Y/ABERGAVENNY Castle Street *Cong.*
O.S. ref. SO 29901410
C 1711-1837 **PRO** B 1806-9, 1837 **PRO**

FENNI,Y/ABERGAVENNY *W*
O.S. ref. SO 29841413
C 1812-37 **PRO** 1853-92 **GWENT RO**

GLYNEBWY/EBBW VALE Briery Hill, Spencer Street, Brynhyfryd *Bap.*
O.S. ref. SO 16790879
M 1945-68 **GWENT RO**

GLYNEBWY/EBBW VALE Mount Pleasant Road, Nebo *Bap.*
O.S. ref. SO 16630988
M 1949-86 **GWENT RO**

GLYNEBWY/EBBW VALE Newtown, Providence *Bap.*
O.S. ref. SO 17070994
M 1941-61 **GWENT RO**

GLYNEBWY/EBBW VALE Bethesda *CM*
O.S. ref. SO 16810890
C 1938-61 **NLW**

GLYNEBWY/EBBW VALE Penuel *CM*
O.S. ref. SO 16810900
C 1819-37 **PRO** 1914-85 **NLW** M 1930-86 **GWENT RO** B 1929-87 **NLW**

GLYNEBWY/EBBW VALE Cendl/Beaufort, Bethesda *CM*
O.S. ref. SO 16751161
C 1824-37 **PRO** M 1972-6 **NLW**

GLYNEBWY/EBBW VALE Cwm, River Road *CM*
O.S. ref. SO 18370528
C 1935-86 **NLW** M 1927-86 **NLW**

GLYNEBWY/EBBW VALE Briery Hill, Tabernacle *Cong.*
O.S. ref. SO 16790914
M 1919-46, 1954-73 **GWENT RO** B 1958-69 **GWENT RO**

GLYNEBWY/EBBW VALE Cendl/Beaufort, Carmel *Cong.*
O.S. ref. SO 16221156
C 1826-37 **PRO** 1895-9 **GWENT RO** B 1877-81 **GWENT RO**

GLYNEBWY/EBBW VALE Beaufort Road *W*
O.S. ref. SO 16811004
C 1799, 1809-37 **PRO**

GLYNEBWY/EBBW VALE Bethcar *W*
O.S. ref. SO 16770960
C 1837 • **W GLAM RO** 1843-50, 1852-82 • **NLW** M 1919-67 **GWENT RO**

GLYNEBWY/EBBW VALE James Street *W*
O.S. ref. SO 16740976
C 1921-67 **GWENT RO** M 1901-70 **GWENT RO**

GLYNEBWY/EBBW VALE Waun-lwyd *W*
O.S. ref. SO 17750685
C 1909-56 **GWENT RO**

GLYNEBWY/EBBW VALE Cendl/Beaufort, Sardis *W*
O.S. ref. SO 16921167
C 1837 • **W GLAM RO** 1843-50, 1852-82 • **NLW** 1853-1948 **GWENT RO**

GLYNEBWY/EBBW VALE Cwm, Mill Terrace *W*
O.S. ref. SO 18480532
C 1903-55 **GWENT RO** M 1949-61 **GWENT RO**

GLYNEBWY/EBBW VALE Victoria, Park Road *W*
O.S. ref. SO 16980788
C 1854-1979 **GWENT RO**

GOETRE FAWR/GOYTRE Capel Road *CM*
O.S. ref. SO 32340517
C 1815-33 **PRO**

*GOYTRE/GOETRE FAWR gweler uchod/see above

GRAIG Basaleg, Bethel   *Bap.*
O.S. ref. ST 27108675
C 1812-37 **PRO**

GRIFFITHSTOWN Pant-teg, New Inn   *Cong.*
O.S. ref. ST 30389888
C 1766-1837 **PRO**   1766-1837 **GWENT RO**   B 1821-2 **GWENT RO**

GRIFFITHSTOWN Sebastopol, Penry Memorial   *Cong.*
O.S. ref. ST 29359813
C 1970-2 **GWENT RO**

GRIFFITHSTOWN Pant-teg   *W*
O.S. ref. ST 27699982
C 1945-51 **GWENT RO**

LLANDEILO BERTHOLAU/LLANTILIO PERTHOLEY Forest Colpit, Salem   *CM*
O.S. ref. SO 28842059
C 1811-37 **PRO**

LLANEIRWG/ST MELLONS Bethania/Bethany   *CM*
O.S. ref. ST 22868102
C 1812-37 **PRO**   M 1911-71 **NLW**

LLANEIRWG/ST MELLONS   *Q*
O.S. ref._____
B 1878-1909 **GLAM RO**

LLANFABLE/LLANVAPLEY Providence   *Cong.*
O.S. ref. SO 36451492
C 1823-32 **PRO**

LLANFACHES/LLANVACHES Tabernacle   *Cong.*
O.S. ref. ST 43669118
C 1799-1837 **PRO**   B 1802-37 **PRO**

LLANFARTHIN/LLANMARTIN Bethel   *CM*
O.S. ref. ST 39368950
C 1795,1813-35 **PRO**   1905-45 **NLW**   M 1908-52 **NLW**

LLANFIHANGEL LLANTARNAM Cwmbrân, Pen-heol-y-badd, Mount Pleasant
Bap.
O.S. ref. ST 26419447
M 1947-56 **GWENT RO**

LLANFIHANGEL LLANTARNAM Oakfield, Ebenezer   *Bap.*
O.S. ref. ST 29069420
M 1973-9 **GWENT RO**

LLANFIHANGEL LLANTARNAM   Pen-y-waun   *Cong.*
O.S. ref. ST 28559447
C 1816-36 **PRO**

LLANFIHANGEL LLANTARNAM   Cwmbrân, Wesley Street   *W*
O.S. ref. ST 29079482
C 1952-60 **GWENT RO**

LLANFRECHFA   Pont-hir, Seion   *Bap.*
O.S. ref. ST 32629282
M 1932-61 **GWENT RO**   B 1878-1969 **GWENT RO**

LLANHILEDD/LLANHILLETH   Commercial Road   *Bap.*
O.S. ref. SO 21410087
M 1939-49 **GWENT RO**

LLANHILEDD/LLANHILLETH   *W*
O.S. ref. SO 22110058
C 1895-1904 **GWENT RO**

*LLANHILLETH/LLANHILEDD   gweler uchod/see above

*LLANMARTIN/LLANFARTHIN   Bethel   *CM*
O.S. ref. ST 39368950
C 1795, 1813-35 **PRO**   1905-45 **NLW**   M 1908-52 **NLW**

LLANSANFFRAID GWYNLLŴG/ST BRIDE'S WENTLLOOG   Providence/Morfa
Cong.
O.S. ref. ST 29848220
C 1828-37 **PRO**

* LLANTILIO PERTHOLEY/LLANDEILO BERTHOLAU   Forest Colpit, Salem   *CM*
O.S. ref. SO 28842059
C 1811-37 **PRO**

*LLANVACHES/LLANFACHES   Tabernacle   *Cong.*
O.S. ref. SO 43669118
C 1799-1837 **PRO**   B 1802-37 **PRO**

*LLANVAPLEY/LLANFABLE   Providence   *Cong.*
O.S. ref. SO 36451492
C 1823-32 **PRO**

LLANWENARTH   *Bap.*
O.S. ref. SO 26671373
C 1655-7, 1770-1861 **NLW**   B 1697-1728 **NLW**

LLANWYNELL/WOLVESNEWTON Nebo   *Cong.*
O.S. ref. SO 47950048
C 1819-37 **PRO**

MAERUN/MARSHFIELD Castleton   *CM*
O.S. ref. ST 25238350
C 1817-37 **PRO**

*MARSHFIELD/MAERUN gweler uchod/see above

*MONMOUTH/TREFYNWY Glendower Street   *Cong.*
O.S. ref. SO 50861276
C 1896-1927 **GWENT RO** M 1895-1925 **GWENT RO** B 1896-1928 **GWENT RO**

*MONMOUTH/TREFYNWY St Mary Street   *Cong.*
O.S. ref. SO 50961284
C 1822-37 **PRO**

*MONMOUTH/TREFYNWY St James' Street   *W*
O.S. ref. SO 51031291
C 1808-37, 1839-50 **PRO**

*NEWBRIDGE/TRECELYN Beulah   *Bap.*
O.S. ref. ST 21039710
C 1816-37 **PRO**

*NEWPORT/CASNEWYDD Alma Street   *Bap.*
O.S. ref. ST 31218715
M 1962-70, 1972 **GWENT RO**

*NEWPORT/CASNEWYDD Charles Street   *Bap.*
O.S. ref. ST 31098781
M 1965-76 **GWENT RO**

*NEWPORT/CASNEWYDD Commercial Street   *Bap.*
O.S. ref. ST 31178784
C 1798-9, 1804-37 **PRO**

*NEWPORT/CASNEWYDD Pillgwenlly, Commercial Road   *Bap.*
O.S. ref. ST 31438724
M 1932-61 **GWENT RO**

*NEWPORT/CASNEWYDD Caerleon Road   *CM*
O.S. ref. ST 31968897
C 1894-1968 **NLW** M 1897-1911, 1927-62 **NLW**

*NEWPORT/CASNEWYDD Ebenezer   *CM*
O.S. ref. ST 31378753
C 1816-37 **PRO**

*NEWPORT/CASNEWYDD Betws, Mill Street   *Cong.*
O.S. ref. ST 30968845
C 1770-1838,1871,1905-28 **GWENT RO**   1770-1849 **NLW**   M 1871-3 **GWENT RO**
B 1770-1849 **NLW**

*NEWPORT/CASNEWYDD Commercial Street, Hope   *Cong.*
O.S. ref. ST 31408721
C 1812-37 **PRO**

*NEWPORT/CASNEWYDD Commercial Street, Tabernacle   *Cong.*
O.S. ref. ST 31218788
C 1812-42, 1895-1949, 1953-64 **GWENT RO**   1821-37 **PRO**
M 1838-61 **GWENT RO**   B 1822 **GWENT RO**   1831-7 **PRO**

*NEWPORT/CASNEWYDD Hill Street, Mount Zion/Mynydd Seion   *Cong.*
O.S. ref. ST 31168775
C 1834-7 **PRO**

*NEWPORT/CASNEWYDD Maindee, London Street, Emmanuel   *Cong.*
O.S. ref. ST 32088846
C 1891-9 **GWENT RO**

*NEWPORT/CASNEWYDD Victoria Road   *Cong.*
O.S. ref. ST 31098771
C 1938-56 **GWENT RO**   M 1945-9 **GWENT RO**

*NEWPORT/CASNEWYDD Hill Street   *FM*
O.S. ref. ST 31188775
C 1933-8 **GWENT RO**   M 1906-60 **GWENT RO**

*NEWPORT/CASNEWYDD   *Q*
O.S. ref. ST 31078777
C 1835 **GLAM RO**   B 1839-71, 1902-9,1911-27 **GLAM RO**

*NEWPORT/CASNEWYDD Pillgwenlly, Commercial Road   *W*
O.S. ref. ST 31668681
C 1810-37 **PRO**

*NEWPORT/CASNEWYDD Stow Hill, Wesley   *W*
O.S. ref. ST 31018798
M 1949-73 **GWENT RO**

*NEWPORT/CASNEWYDD Victoria Avenue   *W*
O.S. ref. ST 32418846
M 1917-82 **GWENT RO**

PEN-ALLT   *PM*
O.S. ref. SO 52020900
C 1862-1934 **GRO**

PENGAM   Ebenezer   *Bap.*
O.S. ref. ST 15439751
M 1968 **GWENT RO**

PEN-MAEN   *Cong.*
O.S. ref. ST 18189772
C 1787-1833 **PRO**   1809-11 **NLW**   B 1787-1835 **PRO**   1811 **NLW**

PEN-MAEN   Oakdale   *PM*
O.S. ref. ST 18509826
C 1952-81 **GWENT RO**   M 1960-70,1972-80 **GWENT RO**

PONTLLAN-FRAITH Gelli-groes, Siloh   *CM*
O.S. ref. ST 17659476
C 1814-37 **PRO**

*PONTYPOOL/PONTYPŴL gweler isod/see below

PONT-Y-PŴL/PONTYPOOL Pen-y-garn, Tabernacle   *Bap.*
O.S. ref. SO 28050092
M 1925-70 **GWENT RO**

PONT-Y-PŴL/PONTYPOOL Trosnant Uchaf, Bridge Street   *Bap.*
O.S. ref. SO 28270065
C 1806-37 **PRO**

PONT-Y-PŴL/PONTYPOOL Crane Street, Rehoboth   *CM*
O.S. ref. SO 28020074
C 1812-37 **PRO**

PONT-Y-PŴL/PONTYPOOL St David's   *CM*
O.S. ref. SO 28010116
C 1931-88 **NLW**

PONT-Y-PŴL/PONTYPOOL Park Terrace   *PM*
O.S. ref. SO 28120062
M 1903-82 **GWENT RO**

PONT-Y-PŴL/PONTYPOOL Trosnant   *Q*
O.S. ref. SO 28420064
B 1847-77 **GLAM RO**

PONT-Y-PŴL/PONTYPOOL High Street   *W*
O.S. ref. SO 28040072
C 1843-50, 1852-82 **NLW**   M 1918-59 **GWENT RO**

PONT-Y-PŴL/PONTYPOOL Nicholas Street   *W*
O.S. ref. SO 28040061
C 1922-31, 1933-67 **GWENT RO**

PONT-Y-PŴL/PONTYPOOL   Race   *W*
O.S. ref. ST 27399960
C 1938 **GWENT RO**

PORTH SGIWED/PORTSKEWETT   Sudbrook   *CM*
O.S. ref. ST 50648748
M 1963-71 **NLW**

*PORTSKEWETT/PORTH SGIWED   gweler uchod/see above

*RAGLAN/RHAGLAN   gweler isod/see below

RHAGLAN/RAGLAN   Usk Road/Ebenezer   *Bap.*
O.S. ref. SO 41050767
C 1820-37 **PRO**

RHISGA/RISCA   Soar   *CM*
O.S. ref. ST 23699101
C 1812-37 **PRO**

RHISGA/RISCA   Ebenezer   *PM*
O.S. ref. ST 23519124
C 1908-63 **GWENT RO**   M 1934-63 **GWENT RO**

RHISGA/RISCA   St John/Trinity   *W*
O.S. ref. ST 23829090
C 1917-62 **GWENT RO**

*RHYMNEY/RHYMNI   gweler isod/see below

RHYMNI/RHYMNEY   Jerusalem   *Bap.*
O.S. ref. SO 11730705
M 1981-4 **GLAM RO**

RHYMNI/RHYMNEY   Penuel   *Bap.*
O.S. ref. SO 11070824
C 1813-36 **PRO**   M 1982-6 **GLAM RO**

RHYMNI/RHYMNEY   Abertŷswg, Ainon   *Bap.*
O.S. ref. SO 12960562
M 1951-3 **GLAM RO**

RHYMNI/RHYMNEY   Brynhyfryd   *CM*
O.S. ref. SO 11650728
C 1889-1949 **+ NLW**   B 1928-53 **+ NLW**

RHYMNI/RHYMNEY   Victoria Road   *CM*
O.S. ref. SO 11560755
C 1889-1949 **+ NLW**   B 1928-53 **+ NLW**

RHYMNI/RHYMNEY Abertyswg, Jerusalem *CM*
O.S. ref. SO 13060567
M 1980-3 **GLAM RO**

RHYMNI/RHYMNEY Twyncarno, Ebenezer *CM*
O.S. ref. SO 11010852
C 1813-36 **PRO**

RHYMNI/RHYMNEY Blaen Rhymni, Graig/Soar *Cong.*
O.S. ref. SO 10580979
B 1873-1980 **GLAM RO**

RHYMNI/RHYMNEY Moriah *Cong.*
O.S. ref. SO 11770688
C 1847-52 **NLW**

RHYMNI/RHYMNEY Seion *Cong.*
O.S. ref. SO 10850847
C 1817-37 **PRO**

RHYMNI/RHYMNEY Ramsden Street *W*
O.S. ref. SO 11500753
M 1960-80 **GWENT RO**

RHYMNI/RHYMNEY Tabernacle *W*
O.S. ref. SO 12820568
C 1843-1916 **NLW**

RHYMNI/RHYMNEY Abertyswg, Penuel *W*
O.S. ref. SO 13010553
C 1908-16 • **NLW**   1935-76 **GLAM RO**   M 1957-70, 1973-6 **GLAM RO**

RHYMNI/RHYMNEY Phillipstown *W*
O.S. ref. SO 14440345
C 1927-59 **GLAM RO**

*RISCA/RHISGA Soar *CM*
O.S. ref. ST 23699101
C 1812-37 **PRO**

*RISCA/RHISGA Ebenezer *PM*
O.S. ref. ST 23519124
C 1908-63 **GWENT RO**   M 1934-63 **GWENT RO**

*RISCA/RHISGA St John/Trinity *W*
O.S. ref. ST 23829090
C 1917-62 **GWENT RO**

*ROGERSTONE/TŶ-DU Cefn, Bethesda   *Bap.*
O.S. ref. ST 26988887
C 1774-1830, 1835 **GWENT RO**   B 1795,1803,1835-6 **GWENT RO**

*ST BRIDE'S WENTLLOOG/LLANSANFFRAID GWYNLLŴG   Providence/Morfa
Cong.
O.S. ref. ST 29848220
C 1828-37 **PRO**

*ST MELLONS/LLANEIRWG   Bethania/Bethany   *CM*
O.S. ref. ST 22868102
C 1812-37 **PRO**   M 1911-71 **NLW**

*ST MELLONS/LLANEIRWG   *Q*
O.S. ref._____
B 1878-1909 **GLAM RO**

TRECELYN/NEWBRIDGE Beulah   *Bap.*
O.S. ref. ST 21039710
C 1816-37 **PRO**

TREDEGAR   Siloh   *Bap.*
O.S. ref. SO 14300877
C 1798-1813, 1823 **NLW**

TREDEGAR   Penuel   *CM*
O.S. ref. SO 14050880
C 1806-37 **PRO**

TREDEGAR Sirhywi/Sirhowy, Charles Street, Salem   *CM*
O.S. ref. SO 14060997
M 1952-4, 1961-76 **NLW**

TREDEGAR   Cwmsyfiog, Libanus   *Cong.*
O.S. ref. SO 15420203
C 1912-17 **NLW**   B 1914-17 **NLW**

TREDEGAR   Park Row, Saron   *Cong.*
O.S. ref. SO 13980870
C 1821-37 **PRO**

TREDEGAR   James Street   *PM*
O.S. ref. SO 14870776
C 1936-82 **GWENT RO**

TREDEGAR   Trocdrhiw-gwair   *PM*
O.S. ref. SO 15700686
C 1940-51, 1954-71 **GWENT RO**

TREDEGAR   *W*
O.S. ref. SO 14200890
C 1843-1916 • **NLW**

TREDEGAR   Harcourt Terrace   *W*
O.S. ref. SO 13990879
C 1827-37 **PRO**   1839-63, 1923-51 **GWENT RO**

TREDEGAR   Vale Terrace   *W*
O.S. ref. SO 14860776
C 1923-42 **GWENT RO**

TREDEGAR   Walter Street   *W*
O.S. ref. SO 14820798
M 1955-71, 1973-81 **GWENT RO**

TREDEGAR   Dukestown   *W*
O.S. ref. SO 14141017
C 1865-1936, 1955-71 **GWENT RO**

TREDEGAR   Sirhywi/Sirhowy   *W*
O.S. ref. SO 14661007
C 1843-1916 • **NLW**

TREDEGAR   Tafarnau Bach, Bryn Seion   *W*
O.S. ref. SO 12021031
C 1843-1916 • **NLW**

TREDEGAR   Tredegar Newydd/New Tredegar, Zion   *W*
O.S. ref. SO 14170333
C 1843-1916 • **NLW**

TREFYNWY/MONMOUTH   Glendower Street   *Cong.*
O.S. ref. SO 50861276
C 1896-1927 **GWENT RO**   M 1895-1925 **GWENT RO**   B 1896-1928 **GWENT RO**

TREFYNWY/MONMOUTH   St Mary Street   *Cong.*
O.S. ref. SO 50961284
C 1822-37 **PRO**

TREFYNWY/MONMOUTH   St James' Street   *W*
O.S. ref. SO 51031291
C 1808-37, 1839-50 **PRO**

TŶ-DU/ROGERSTONE   Cefn, Bethesda   *Bap.*
O.S. ref. ST 26988887
C 1774-1830, 1835 **GWENT RO**   B 1795, 1803, 1835-6 **GWENT RO**

*WOLVESNEWTON/LLANWYNELL Nebo   *Cong.*
O.S. ref. SO 47950048
C 1819-37 **PRO**

YNYS-DDU Cwmfelin-fach, Babell   *CM*
O.S. ref. ST 18569141
C 1828-37 **PRO**

PENFRO / PEMBROKESHIRE

ABERGWAUN/FISHGUARD   Pen-towr/Tower Hill   *CM*
O.S. ref. SM 96023706
C 1810-36 **PRO**   1814-64 **NLW**   1902-38 **PEMB RO**

ABERGWAUN/FISHGUARD   Tabernacle   *Cong.*
O.S. ref. SM 95923689
C 1806-37 **PRO**   B 1788-1837 **PRO**

*AMBLESTON/TREAMLOD   Woodstock   *CM*
O.S. ref. SN 02222570
C 1804-38 **PRO**

AMROTH   Summer Hill   *PM*
O.S. ref. SN 15300742
C 1847-1907, 1911-32 **PEMB RO**

AMROTH   Stepaside   *W*
O.S. ref. SN 14310717
C 1839-1961 • **PEMB RO**

ARBERTH DE/NARBERTH SOUTH   Molleston   *Bap.*
O.S. ref. SN 09411186
C 1787-1837 **PRO**   B 1788-1835 **PRO**

ARBERTH GOGLEDD/NARBERTH NORTH   Bethesda   *Bap.*
O.S. ref. SN 10861466
C 1807-37 **PRO**   1807-48 **PEMB RO**   M 1965-70, 1972-85, 1987-92 **PEMB RO**

ARBERTH GOGLEDD/NARBERTH NORTH   Sheep Street   *W*
O.S. ref. SN 11121472
C 1839-1961 • **PEMB RO**

BEGELI/BEGELLY   Zion   *CM*
O.S. ref. SN 11810761
C 1820-37 **PRO**

*BEGELLY/BEGELI   gweler uchod/see above

*BRAWDY/BREUDETH   gweler isod/see below

BREUDETH/BRAWDY   Trefgarnowen   *Cong.*
O.S. ref. SM 86922550
C 1796-1837 **PRO**

BURTON   Llangwm, Galilee   *Bap.*
O.S. ref. SM 99040922
C 1820-36 **PRO**

BURTON   Hill Mountain/Hearson Mountain   *W*
O.S. ref. SM 97660834
C 1844-1934 • **PEMB RO**

CAERIW/CAREW   *W*
O.S. ref. SN 04720377
C 1839-1920 **PEMB RO**

CAMROS/CAMROSE   Keystone/Tregetin   *Cong.*
O.S. ref. SM 90061955
C 1790-1864, 1934-42 **PEMB RO**   M 1935-43 **PEMB RO**
B 1808-28, 1934-44 **PEMB   RO**

CAMROS/CAMROSE   Wolfsdale/Bethel   *Cong.*
O.S. ref. SM 93262155
C 1819-36 **PRO**   B 1828-40 **PRO**

CAMROS/CAMROSE   *W*
O.S. ref._____
C 1834 **PRO**

*CAMROSE/CAMROS   gweler uchod/see above

*CAREW/CAERIW   *W*
O.S. ref. SN 04720377
C 1839-1920 **PEMB RO**

CAS-LAI/HAYSCASTLE   Treowman, Brimaston Hall   *CM*
O.S. ref. SM 93152515
C 1818-34 **NLW**

CAS-LAI/HAYSCASTLE   Ford, Pen-y-bont   *Cong.*
O.S. ref. SM 95652640
C 1796-1837 **PRO**

CAS-WIS/WISTON   *CM*
O.S. ref. SN 02221923
C 1813, 1820-37 **PRO**

CILGERRAN   Babell   *CM*
O.S. ref. SN 19504299
C 1815-36 **PRO**

DALE   *W*
O.S. ref. SM 81100600
C 1842-1934 **PEMB RO**

DINAS   Brynhenllan   *CM*
O.S. ref. SN 00923955
C 1812-35 **PRO**

DINBYCH-Y-PYSGOD/TENBY Frog Street. Tabernacle *Cong.*
O.S. ref. SN 13450029
C 1803-37 **PRO**

DINBYCH-Y-PYSGOD/TENBY Warren Street *W*
O.S. ref. SN 13070057
C 1839-1961 • **PEMB RO** M 1945-86 **PEMB RO**

DOC PENFRO/PEMBROKE DOCK Bethany *Bap.*
O.S. ref. SM 96340295
C 1814-37 **PRO** M 1940-54 **PEMB RO**

DOC PENFRO/PEMBROKE DOCK Albion Square/Tabernacle *Cong.*
O.S. ref. SM 96460343
C 1825-37 **PRO**

DOC PENFRO/PEMBROKE DOCK Meyrick Street/Trinity *Cong.*
O.S. ref. SM 96690318
C 1909-38 **PEMB RO** M 1909-39 **PEMB RO** B 1910-39 **PEMB RO**

DOC PENFRO/PEMBROKE DOCK Gershom/Zion *PM*
O.S. ref. SM 96520317
C 1847-1932 **PEMB RO**

DOC PENFRO/PEMBROKE DOCK Meyrick Street *W*
O.S. ref. SM 96670344
C 1820-58 **PRO** 1839-1931 • **PEMB RO** M 1899-1983 **NLW**

EAST WILLIAMSTON Moreton *W*
O.S. ref. SN 11490484
C 1839-1961 **PEMB RO**

EGLWYS WEN/WHITECHURCH Pen-y-groes *Cong.*
O.S. ref. SN 15453550
C 1785-1837 **PRO** 1844-56 **NLW** M 1779 **PRO** 1844-56 **NLW** B 1785-1823 **PRO**
1844-56 **NLW**

*FISHGUARD/ABERGWAUN Pen-towr/Tower Hill *CM*
O.S. ref. SM 96023706
C 1810-36 **PRO** 1814-64 **NLW** 1902-38 **PEMB RO**

*FISHGUARD/ABERGWAUN Tabernacle *Cong.*
O.S. ref. SM 95923689
C 1806-37 **PRO** B 1788-1837 **PRO**

FREYSTROP Middlehill/Bethel *Cong.*
O.S. ref. SM 95661185
C 1831-7 **PRO**

GARN,Y/ROCH   W
O.S. ref. SM 87802110
C 1827-37 **PRO**   1844-1934 **PEMB RO**

*GRANSTON/TREOPERT Llangloffan   *Bap.*
O.S. ref. SM 90563237
C 1745-87 **NLW**

*HAVERFORDWEST/HWLFFORDD Bethesda   *Bap.*
O.S. ref. SM 95101575
C 1787-1857 **PEMB RO** B 1842-84 **PEMB RO**

*HAVERFORDWEST/HWLFFORDD Ebenezer   *CM*
O.S. ref. SM 95281590
C 1796-1837 **PRO**   1854-1987 **PEMB RO**

*HAVERFORDWEST/HWLFFORDD Albany/The Green   *Cong.*
O.S. ref. SM 95241531
C 1705-1836 **PRO**   1705-1847, 1872-1928, 1951-7 **PEMB RO**   M 1874-1907, 1951-8
PEMB RO   B 1665-1743, 1927-9 **PEMB RO**

*HAVERFORDWEST/HWLFFORDD Tabernacle   *Cong.*
O.S. ref. SM 95091574
C 1780-1837 **PRO**   1790-1869, 1889-96 **PEMB RO**   M 1864-8, 1889-96 **PEMB RO**
B 1864-7, 1889-96 **PEMB RO**

*HAVERFORDWEST/HWLFFORDD   *MR*
O.S. ref. SM 95271537
C 1763-1837 **PRO**   1763-1956 **NLW** B 1763-1956 **NLW**   1764-1837 **PRO**

*HAVERFORDWEST/HWLFFORDD   *W*
O.S. ref. SM 95281589
C 1826-37 **PRO**   1844-1934 **PEMB RO**   M 1928-85 **PEMB RO**

*HAVERFORDWEST/HWLFFORDD Merlin's Bridge   *W*
O.S. ref. SM 94781447
C 1844-1934 **PEMB RO**

*HAYSCASTLE/CAS-LAI Treowman, Brimaston Hall   *CM*
O.S. ref. SM 93152515
C 1818-34 **NLW**

*HAYSCASTLE/CAS-LAI Ford, Pen-y-bont   *Cong.*
O.S. ref. SM 95652640
C 1796-1837 **PRO**

HWLFFORDD/HAVERFORDWEST Bethesda   *Bap.*
O.S. ref. SM 95101575
C 1787-1857 **PEMB RO** B 1842-84 **PEMB RO**

HWLFFORDD/HAVERFORDWEST   Ebenezer   *CM*
O.S. ref. SM 95281590
C 1796-1837 **PRO**   1854-1987 **PEMB RO**

HWLFFORDD/HAVERFORDWEST   Albany/The Green   *Cong.*
O.S. ref. SM 95241531
C 1705-1836 **PRO**   1705-1847, 1872-1928, 1951-7 **PEMB RO**   M 1874-1907, 1951-8
PEMB RO   B 1665-1743, 1927-9 **PEMB RO**

HWLFFORDD/HAVERFORDWEST   Tabernacle   *Cong.*
O.S. ref. SM 95091574
C 1780-1837 **PRO**   1790-1869, 1889-96 **PEMB RO**   M 1864-8, 1889-96 **PEMB RO**
B 1864-7, 1889-96 **PEMB RO**

HWLFFORDD/HAVERFORDWEST   *MR*
O.S. ref. SM 95271537
C 1763-1837 **PRO**   1763-1956 **NLW**   B 1763-1956 **NLW**   1764-1837 **PRO**

HWLFFORDD/HAVERFORDWEST   *W*
O.S. ref. SM 95281589
C 1826-37 **PRO**   1844-1934 **PEMB RO**   M 1928-85 **PEMB RO**

HWLFFORDD/HAVERFORDWEST   Merlin's Bridge   *W*
O.S. ref. SM 94781447
C 1844-1934 **PEMB RO**

JEFFRESTON/JEFFREYSTON   Cresselly   *PM*
O.S. ref. SN 07030630
C 1847-1932 **PEMB RO**

JEFFRESTON/JEFFREYSTON   *W*
O.S. ref. SN 08730664
C 1839-1961 • **PEMB RO**

LAMBSTON   East Hook, The Mount   *Q*
O.S. ref. SM 91551684
B 1789, 1839-1909 **GLAM RO**

LAMBSTON   Portfield Gate   *W*
O.S. ref. SM 91641558
C 1835-7 **PRO**   1844-1934 **PEMB RO**

*LAMPETER VELFREY/LLANBEDR FELFFRE   gweler isod/see below

LLANBEDR FELFFRE/LAMPETER VELFREY   Carfan/Carvan   *Cong.*
O.S. ref. SN 17451411
C 1740-1837 **PRO**

LLANDDEWI FELFFRE/LLANDDEWI VELFREY Bethel   *Cong.*
O.S. ref. SN 15931698
C 1748-1837 **PRO**

*LLANDDEWI VELFREY/LLANDDEWI FELFFRE   gweler uchod/see above

*LLANDISSILIO WEST/LLANDYSILIO Pisgah   *Cong.*
O.S. ref. SN 12082154
C 1828-37 **PRO**

LLANDUDOCH/ST DOGMAELS Blaen-waun   *Bap.*
O.S. ref. SN 16134483
C 1793-1837 **NLW**

LLANDYSILIO/LLANDISSILIO WEST Pisgah   *Cong.*
O.S. ref. SN 12082154
C 1828-37 **PRO**

LLANFYRNACH Glandŵr   *Cong.*
O.S. ref. SN 19072859
C 1746-94 **NLW**   1785-1837 **PRO**   M 1837-40, 1984-6 **PEMB RO**
B 1785-1808 **PRO**   1838-84 **PEMB RO**

LLANGOLMAN Llandeilo/Llandilo   *Cong.*
O.S. ref. SN 10552725
C 1748-1837 **PRO**   B 1786-1826 **PRO**

LLANGWM   *W*
O.S. ref. SM 99020947
C 1842-1934 **PEMB RO**

LLANISAN-YN-RHOS/ST ISHMAELS Sandy Haven, Aenon   *Bap.*
O.S. ref. SM 85400751
C 1803-37 **PRO**

LLANRHIAN Tre-fin/Trevine   *CM*
O.S. ref. SM 84033248
C 1811-37 **PRO**

LLANSTADWEL Waterston   *W*
O.S. ref. SM 93690571
C 1842-1934 **PEMB RO**

*LLANTOOD/LLANTWYD   gweler isod/see below

LLANTWYD/LLANTOOD Glan-rhyd   *CM*
O.S. ref. SN 14244225
C 1813-36 **PRO**

LLANUSYLLT/ST ISSELLS   Sardis   *Cong.*
O.S. ref. SN 13930679
C 1803-37 **PRO**

LLANUSYLLT/ST ISSELLS   Kingsmoor   *PM*
O.S. ref. SN 12450655
C 1847-1932 **PEMB RO**

LLANUSYLLT/ST ISSELLS   Saundersfoot   *W*
O.S. ref. SN 13420493
C 1939 **PEMB RO**

LLANWNDA   Pen-caer/Strumble Head, Harmony   *Bap.*
O.S. ref. SN 90323828
C 1887-1933 **NLW**

LLANYCHLWYDOG   Cwm Gwaun, Jabez   *Bap.*
O.S. ref. SN 02853407
C 1821-35, 1840-87 **NLW**   B 1821-35 **NLW**

LLYS-Y-FRÂN   Gwastad   *CM*
O.S. ref. SN 04842484
C 1860-1924 **NLW**

MAENCLOCHOG   Hen Gapel   *Cong.*
O.S. ref. SN 08352743
C 1788-1970 **NLW**   1788-1985 **PEMB RO**

MAENORBŶR/MANORBIER   Jameston   *PM/W*
O.S. ref. SS 05679897
C 1847-1907 **PEMB RO**

MAENORDEIFI/MANORDEIFI Aber-cuch, Ramoth   *Bap.*
O.S. ref. SN 25004046
B 1936-77 **NLW**

MAENORDEIFI/MANORDEIFI   Cilfowyr   *Bap.*
O.S. ref. SN 22034207
C 1689-1797, 1806, 1817-54, 1894-1905 **NLW**   B 1775-97, 1817-54, 1896-1908 **NLW**

MAENORDEIFI/MANORDEIFI   Capel Newydd   *CM*
O.S. ref. SN 22853948
C 1810-37 **PRO**

*MANORBIER/MAENORBŶR   Jameston   *PM/W*
O.S. ref. SS 05679897
C 1847-1907 **PEMB RO**

*MANORDEIFI/MAENORDEIFI Aber-cuch, Ramoth   *Bap.*
O.S. ref. SN 25004046
B 1936-77 **NLW**

*MANORDEIFI/MAENORDEIFI Cilfowyr   *Bap.*
O.S. ref. SN 22034207
C 1689-1797, 1806, 1817-54, 1894-1905 **NLW** B 1775-97, 1817-54, 1896-1908 **NLW**

*MANORDEIFI/MAENORDEIFI Capel Newydd   *CM*
O.S. ref. SN 22853948
C 1810-37 **PRO**

MARLOES Moriah   *Bap.*
O.S. ref. SM 79250854
M 1914-61 **PEMB RO**

MARLOES   *W*
O.S. ref. SM 79360838
C 1844-1934 **PEMB RO**

MILFFWRD/MILFORD Robert Street, Short Lane   *Bap.*
O.S. ref. SM 90140610
C 1803-37 **PRO**

MILFFWRD/MILFORD Robert Street, Tabernacle   *Cong.*
O.S. ref. SM 90690585
C 1796-1837 **PRO**

MILFFWRD/MILFORD   *Q*
O.S. ref. SM 90370608
B 1839-1909 **GLAM RO**

MILFFWRD/MILFORD   *W*
O.S. ref. SM 90200604/SM 90430613
C 1832 **PRO**   1842-1934 **PEMB RO**

*MILFORD/MILFFWRD gweler uchod/see above

MYNACHLOG-DDU Bethel   *Bap.*
O.S. ref. SN 14533037
C 1797-1923 **NLW** B 1827-1922 **NLW**

*NARBERTH NORTH/ARBERTH GOGLEDD Bethesda   *Bap.*
O.S. ref. SN 10861466
C 1807-37 **PRO**   1807-48 **PEMB RO** M 1965-70, 1972-85, 1987-92 **PEMB RO**

*NARBERTH NORTH/ARBERTH GOGLEDD Sheep Street   *W*
O.S. ref. SN 11121472
C 1839-1961 **PEMB RO**

*NARBERTH SOUTH/ARBERTH DE   Molleston   *Bap.*
O.S. ref. SN 09411186
C 1787-1837 **PRO**   B 1788-1835 **PRO**

*NEWPORT/TREFDRAETH   Tabernacle   *CM*
O.S. ref. SN 05753923
C 1814-36 **PRO**

*NEWPORT/TREFDRAETH   Ebenezer   *Cong.*
O.S. ref. SN 05813917
C 1775-1837 **PRO**

NEYLAND   *W*
O.S. ref. SM 96220491/SM 96460521
C 1839-1920 • **PEMB RO**

*PEMBROKE DOCK/DOC PENFRO   Bethany   *Bap.*
O.S. ref. SM 96340295
C 1814-37 **PRO**   M 1940-54 **PEMB RO**

*PEMBROKE DOCK/DOC PENFRO   Albion Square/Tabernacle   *Cong.*
O.S. ref. SM 96460343
C 1825-37 **PRO**

*PEMBROKE DOCK/DOC PENFRO   Meyrick Street/Trinity   *Cong.*
O.S. ref. SM 96690318
C 1909-38 **PEMB RO**   M 1909-39 **PEMB RO**   B 1910-39 **PEMB RO**

*PEMBROKE DOCK/DOC PENFRO   Gershom/Zion   *PM*
O.S. ref. SM 96520317
C 1847-1932 **PEMB RO**

*PEMBROKE DOCK/DOC PENFRO   Meyrick Street   *W*
O.S. ref. SM 96670344
C 1820-58 **PRO**   1839-1931 • **PEMB RO**   M 1899-1983 **NLW**

*PEMBROKE ST MARY/PENFRO ST MAIR gweler isod/see below

*PEMBROKE ST MICHAEL/PENFRO ST MIHANGEL gweler isod/see below

PENFRO ST MAIR/PEMBROKE ST MARY   Tabernacle   *Cong.*
O.S. ref. SM 98710131
M 1900-61, 1963-92 **PEMB RO**

PENFRO ST MIHANGEL/PEMBROKE ST MICHAEL   Pembroke Wesley   *W*
O.S. ref. SM 98770135
C 1839-57 **PRO**   1839-1920 • **PEMB RO**   M 1899-1982 **PEMB RO**

REDBERTH   *W*
O.S. ref. SN 08240419
C 1839-1920 • **PEMB RO**

*ROCH/Y GARN   *W*
O.S. ref. SM 87802110
C 1827-37 **PRO**   1844-1934 **PEMB RO**

*ST DAVIDS/TYDDEWI New Street, Zion/Seion   *Bap.*
O.S. ref. SM 75442543
M 1962-3 **PEMB RO**

*ST DAVIDS/TYDDEWI Caerfarchell   *CM*
O.S. ref. SM 79452700
C 1811-37 **PRO**

*ST DAVIDS/TYDDEWI Tabernacle   *CM*
O.S. ref. SM 75252531
C 1811-37 **PRO**

*ST DAVIDS/TYDDEWI Ebenezer   *Cong.*
O.S. ref. SM 75362548
C 1814-37 **PRO**

*ST DAVIDS/TYDDEWI Rhodiad   *Cong.*
O.S. ref. SM 76732725
C 1799, 1810-37 **PRO**

*ST DOGMAELS/LLANDUDOCH Blaen-waun   *Bap.*
O.S. ref. SN 16134483
C 1793-1837 **NLW**

ST FLORENCE Bethel   *Cong.*
O.S. ref. SN 08270105
C 1803-37 **PRO**

*ST ISHMAELS/LLANISAN-YN-RHOS Sandy Haven, Aenon   *Bap.*
O.S. ref. SM 85400751
C 1803-37 **PRO**

*ST ISSELLS/LLANUSYLLT Sardis   *Cong.*
O.S. ref. SN 13930679
C 1803-37 **PRO**

*ST ISSELLS/LLANUSYLLT Kingsmoor   *PM*
O.S. ref. SN 12450655
C 1847-1932 **PEMB RO**

*ST ISSELLS/LLANUSYLLT Saundersfoot *W*
O.S. ref. SN 13420493
C 1939 **PEMB RO**

*ST NICHOLAS/TREMARCHOG Pen-caer, Rhosycaerau *Cong.*
O.S. ref. SM 91913762
C 1775-1837 **PRO** B 1788-1837 **PRO**

SPITAL/SPITTAL Zion's Hill *Cong.*
O.S. ref. SM 97842390
C 1796-1837 **PRO**

SPITAL/SPITTAL *W*
O.S. ref. SM 97702317
C 1831-4 **PRO** 1844-1934 • **PEMB RO**

*SPITTAL/SPITAL gweler uchod/see above

STEYNTON Drun Hill/Dreen Hill *CM*
O.S. ref. SM 92241409
C 1854-1968 **PEMB RO**

STEYNTON Hakin *W*
O.S. ref. SM 90020553
C 1842-1934 **PEMB RO**

TALBENNI/TALBENNY Middle Hall *W*
O.S. ref. SM 84051112
C 1844-1934 • **PEMB RO**

*TALBENNY/TALBENNI gweler uchod/see above

*TENBY/DINBYCH-Y-PYSGOD Frog Street, Tabernacle *Cong.*
O.S. ref. SN 13450029
C 1803-37 **PRO**

*TENBY/DINBYCH-Y-PYSGOD Warren Street *W*
O.S. ref. SN 13070057
C 1839-1961 **PEMB RO** M 1945-86 **PEMB RO**

TREAMLOD/AMBLESTON Woodstock *CM*
O.S. ref. SN 02222570
C 1804-38 **PRO**

TREFDRAETH/NEWPORT Tabernacle *CM*
O.S. ref. SN 05753923
C 1814-36 **PRO**

TREFDRAETH/NEWPORT   Ebenezer   *Cong.*
O.S. ref. SN 05813917
C 1775-1837 **PRO**

TRE-GROES/WHITCHURCH Felinganol/Middlemill   *Bap.*
O.S. ref. SM 80592600
C 1783-1836 **PRO**

TRE-GROES/WHITCHURCH   Capel y Cwm   *CM*
O.S. ref. SM 80812467
C 1797-1837 **PRO**

TRE-GROES/WHITCHURCH   Solfach/Solva, Mount Zion   *Cong.*
O.S. ref. SM 79942442
C 1780-1837 **PRO**

TREMARCHOG/ST NICHOLAS Pen-caer, Rhosycaerau   *Cong.*
O.S. ref. SM 91913762
C 1775-1837 **PRO**   B 1788-1837 **PRO**

TREOPERT/GRANSTON Llangloffan   *Bap.*
O.S. ref. SM 90563237
C 1745-87 **NLW**

TYDDEWI/ST DAVIDS New Street, Zion/Seion   *Bap.*
O.S. ref. SM 75442543
M 1962-3 **PEMB RO**

TYDDEWI/ST DAVIDS Caerfarchell   *CM*
O.S. ref. SM 79452700
C 1811-37 **PRO**

TYDDEWI/ST DAVIDS Tabernacle   *CM*
O.S. ref. SM 75252531
C 1811-37 **PRO**

TYDDEWI/ST DAVIDS Ebenezer   *Cong.*
O.S. ref. SM 75362548
C 1814-37 **PRO**

TYDDEWI/ST DAVIDS Rhodiad   *Cong.*
O.S. ref. SM 76732725
C 1799, 1810-37 **PRO**

UZMASTON   *W*
O.S. ref.─────────
C 1833-4 **PRO**   1844-1934 • **PEMB RO**

*WHITCHURCH/TRE-GROES Felinganol/Middlemill   *Bap.*
  O.S. ref. SM 80592600
  C 1783-1836 **PRO**

*WHITCHURCH/TRE-GROES Capel y Cwm   *CM*
  O.S. ref. SM 80812467
  C 1797-1837 **PRO**

*WHITCHURCH/TRE-GROES Solfach/Solva, Mount Zion   *Cong.*
  O.S. ref. SM 79942442
  C 1780-1837 **PRO**

*WHITECHURCH/EGLWYS WEN Pen-y-groes   *Cong.*
  O.S. ref. SN 15453550
  C 1785-1837 **PRO**   1844-56 **NLW**   M 1779 **PRO**   1844-56 **NLW**   B 1785-1823 **PRO**
  1844-56 **NLW**

*WISTON/CAS-WIS   *CM*
  O.S. ref. SN 02221923
  C 1813, 1820-37 **PRO**

TREFALDWYN / MONTGOMERYSHIRE

ABERRIW/BERRIEW Jerusalem *CM*
O.S. ref. SJ 19260017
C 1812-19 **NLW**

ABERRIW/BERRIEW Cefn-y-faenor/Ebenezer *Cong.*
O.S. ref. SJ 15340015
C 1825-37 **PRO** 1838-84 **NLW**

ABERRIW/BERRIEW Providence *W*
O.S. ref. SJ 18220148
C 1847-1941 **NLW**

*BERRIEW/ABERRIW gweler uchod/see above

*BETTWS/BETWS CEDEWAIN gweler isod/see below

BETWS CEDEWAIN/BETTWS *CM*
O.S. ref. SO 12169687
C 1826-36 **PRO** M 1927-70,1973-4 **NLW**

CARNO Peniel *CM*
O.S. ref. SN 95739729
C 1812-36 **PRO** 1812-70,1907 **NLW** M 1848-66 **NLW**

CARNO St John *W*
O.S. ref. SN 96459617
C 1907-71 • **NLW**

*CARREGHOFA/CARREGHWFA gweler isod/see below

CARREGHWFA/CARREGHOFA Llanymynech, Ebenezer *CM*
O.S. ref. SJ 26632074
C 1875-97, 1927-78 **NLW** M 1873-87, 1927-79 **NLW** B 1873-88, 1927-79 **NLW**

CEGIDFA/GUILSFIELD Arddleen, Tabernacle *CM*
O.S. ref. SJ 25791562
C 1875-97 **NLW** M 1873-87 **NLW** B 1873-88 **NLW**

CEGIDFA/GUILSFIELD Geuffordd *CM*
O.S. ref. SJ 21411417
C 1875-97 **NLW** M 1873-87 **NLW** B 1873-88 **NLW**

CEGIDFA/GUILSFIELD Groes-lwyd *Cong.*
O.S. ref. SJ 20921127
C 1875-97 **NLW** M 1873-87 **NLW** B 1873-88 **NLW**

CEMAIS/CEMMAES   *CM*
O.S. ref. SH 83900610
C 1812-92 **NLW**

CEMAIS/CEMMAES Cwmlline, Sammah   *Cong.*
O.S. ref. SH 84810782
C 1828-37 **PRO**

CEMAIS/CEMMAES Cwmlline   *W*
O.S. ref. SH 84860789
C 1808-85, 1895-7 • **NLW**

*CEMMAES/CEMAIS gweler uchod/see above

*CHURCHSTOKE/YR YSTOG Old Chapel/Hen Gapel   *PM*
O.S. ref. SO 28659483
C 1887-1965 • **SRO**

DAROWEN Tal-y-wern, Seion/Zion   *Bap.*
O.S. ref. SH 82750025
C 1809-1906, 1920-62 **NLW**   M 1878-1981 **NLW**   B 1828-1983 **NLW**

DAROWEN   *CM*
O.S. ref. SH 82930171
C 1812-37 **PRO**   1825-8,1939-46,1973-9 **NLW**   M 1979 **NLW**
B 1928, 1948-50, 1973-4, 1985 **NLW**

DAROWEN Melinbyrhedyn, Rhydyfelin   *CM*
O.S. ref. SH 81579886
C 1812-37 **PRO**   1813-45 **NLW**

DAROWEN Abercegyr   *W*
O.S. ref. SH 80380175
C 1808-85, 1895-7 • **NLW**

DAROWEN Penegoes, Bethesda   *W*
O.S. ref. SH 77760100
C 1808-85,1895-7 • **NLW**

DAROWEN Tŷ Cerrig   *W*
O.S. ref. SH 84490317
C 1808-85, 1895-7 • **NLW**

*DEYTHUR/LLANSANFFRAID DEUDDWR   *PM*
O.S. ref. SJ 23811736
C 1867-1973 • **SRO**

DRENEWYDD, Y/NEWTOWN Zion   *Bap.*
O.S. ref. SO 10939143
M 1947-87 **PSRO**

DRENEWYDD, Y/NEWTOWN   New Road, Bethel   *CM*
O.S. ref. SO 10969146
C 1812-16, 1875-97 **NLW**   M 1873-87 **NLW**   B 1873-88 **NLW**

DRENEWYDD, Y/NEWTOWN   Park Street   *Cong.*
O.S. ref. SO 10829146
B 1820-56 **PSRO**

DRENEWYDD, Y/NEWTOWN   Park Street   *PM*
O.S. ref. SO 10799145
C 1899-1913 **NLW**

DRENEWYDD, Y/NEWTOWN   Severn Place   *W*
O.S. ref. SO 10719170
C 1813-37 • **PRO**

DRENEWYDD, Y/NEWTOWN   gweler hefyd/see also LLANLLWCHAEARN

FFORDUN/FORDEN   Ebenezer   *Cong.*
O.S. ref. SJ 23860251
C 1827-36 **PRO**

*FORDEN/FFORDUN   gweler uchod/see above

*GUILSFIELD/CEGIDFA   Arddleen, Tabernacle   *CM*
O.S. ref. SJ 25791562
C 1875-97 **NLW**   M 1873-87 **NLW**   B 1873-88 **NLW**

*GUILSFIELD/CEGIDFA   Geuffordd   *CM*
O.S. ref. SJ 21411417
C 1875-97 **NLW**   M 1873-87 **NLW**   B 1873-88 **NLW**

*GUILSFIELD/CEGIDFA   Groes-lwyd   *Cong.*
O.S. ref. SJ 20921127
C 1875-97 **NLW**   M 1873-87 **NLW**   B 1873-88 **NLW**

HYSSINGTON   Cwm Cae   *PM*
O.S. ref. SO 27899152
C 1887-1965 • **SRO**

HYSSINGTON   Gritt   *PM*
O.S. ref. SO 31239413
C 1887-1965 • **SRO**

ISYGARREG   Derwen-las   *W*
O.S. ref. SN 71779928
C 1808-85, 1895-7 • **NLW**

ISYGARREG   Glasbwll, Bethel   *W*
O.S. ref. SN 73729800
C 1808-85, 1895-7 • **NLW**

LLANBRYN-MAIR Bontdolgadfan, Bont/Bethel *CM*
O.S. ref. SH 88540025
C 1812-37 **PRO** 1812-64 **NLW**

LLANBRYN-MAIR Pennant *CM*
O.S. ref. SN 88109733
C 1821-37 **PRO** 1812-24 **NLW**

LLANBRYN-MAIR Hen Gapel *Cong.*
O.S. ref. SH 91330196
C 1762-1837 **PRO** 1762-1876 **NLW** M 1838-48 **NLW** B 1800-95 **NLW**

LLANDINAM Bethel *CM*
O.S. ref. SO 02558824
C 1811-37 **PRO** 1811-48, 1856-70 **NLW**

LLANDINAM *W*
O.S. ref. SO 02598850
C 1907-71 • **NLW**

LLANDINAM Caerau *W*
O.S. ref. SN 99818473
C 1779, 1813-37 **PRO** 1827-37 **NLW** B 1828-37 **PRO** 1833-1903 **NLW**

LLANDRINIO Sarn-wen *Bap.*
O.S. ref. SJ 27571813
C 1832-6 **PRO**

LLANDRINIO Rhos Common *PM*
O.S. ref. SJ 27771808
C 1867-1973 • **SRO**

LLANDYSILIO Domgae *Cong.*
O.S. ref. SJ 26971864
C 1814-37 **PRO**

LLANFAIR CAEREINION Capel Isa *CM*
O.S. ref. SJ 10460645
C 1809-34 **PRO** 1813-23 **NLW**

LLANFAIR CAEREINION Neuadd, Bethlehem/Gelli *CM*
O.S. ref. SJ 08830818
C 1810-37 **PRO**

LLANFAIR CAEREINION Ebenezer/Capel Uchaf *Cong.*
O.S. ref. SJ 10250640
C 1818-37 **PRO** 1818-47 **NLW**

LLANFAIR CAEREINION   Penarth   *Cong.*
O.S. ref. SJ 11020448
C 1854-1991 **NLW**   M 1888-1953 **NLW**   B 1928-37 **NLW**

LLANFAIR CAEREINION   Bethesda   *W*
O.S. ref. SJ 10610653
C 1812-37 • **PRO**

LLANFIHANGEL-YNG-NGWYNFA   Dolanog.   Salem/Capel Coffa Ann Griffiths   *CM*
O.S. ref. SJ 06681262
C 1826-37 **PRO**   1826-37,1856-7 **NLW**

LLANFYLLIN   Moriah/Capel Newydd   *CM*
O.S. ref. SJ 14151943
C 1817-37 **PRO**   1875-97 **NLW**   M 1873-87 **NLW**   B 1873-88 **NLW**

LLANFYLLIN   Pen-dre   *Cong.*
O.S. ref. SJ 14401931
C 1764-1837 **PRO**

LLANFYLLIN   Bridge Street, Tabernacle   *W*
O.S. ref. SJ 14361967
C 1812-37 • **PRO**

LLANGADFAN   Rehoboth   *CM*
O.S. ref. SJ 01121088
C 1816-30 **NLW**

LLANGURIG   Capel Uchaf   *CM*
O.S. ref. SN 86848158
C 1814-1919 **NLW**   1829-36 **PRO**

LLANGURIG   Ebenezer/Pen-y-bont   *CM*
O.S. ref. SN 90857987
C 1817-37 **PRO**

LLANGYNOG   Penuel   *CM*
O.S. ref. SJ 05172605
C 1875-1948 **NLW**   M 1873-87 **NLW**   B 1873-88 **NLW**

LLANGYNYW   Pont Newydd   *CM*
O.S. ref. SJ 14281137
C 1867-8 **NLW**

LLANGYNYW   Pontrobert, Capel Newydd   *CM*
O.S. ref. SJ 10761264
C 1808-36 **NLW**   1808-36 **PRO**

LLANIDLOES   Zion   *Bap.*
O.S. ref. SN 95328453
C 1812-37 **PRO**   B 1738-1910 **NLW**

LLANIDLOES   Bethel   *CM*
O.S. ref. SN 95548453
C 1811-37 **NLW**   1811-37 **PRO**

LLANIDLOES   Bethel Street   *CM*
O.S. ref. SN 95548453
C 1935-48 **NLW**

LLANIDLOES   China Street/Heol China   *CM*
O.S. ref. SN 95378448
C 1875-1953 **NLW**   M 1873-87 **NLW**   B 1873-88, 1896-1954 **NLW**

LLANIDLOES   Glan-y-nant   *CM*
O.S. ref. SN 93278469
C 1895-1909 + **NLW**

LLANIDLOES   Glyn   *CM*
O.S. ref. SN 93808587
C 1895-1909 + **NLW**

LLANIDLOES   Neuadd   *CM*
O.S. ref. SN 90888453
C 1814-37 **NLW**   1815-37 **PRO**

LLANIDLOES   Parc   *CM*
O.S. ref. SN 98478694
C 1830-5 **PRO**

LLANIDLOES   *Cong.*
O.S. ref. SN 95348459
C 1808-37 **PRO**   1818-37 **NLW**

LLANIDLOES   Salem   *W*
O.S. ref. SN 95438492
C 1804-37 **PRO**

LLANLLUGAN   Carmel   *CM*
O.S. ref. SJ 03040060
C 1814-18 **NLW**

LLANLLWCHAEARN/LLANLLWCHAIARN   Y Drenewydd/Newtown,
Penygloddfa/Crescent   *CM*
O.S. ref. SO 10689188
C 1812-16, 1843-66, 1875-97 **NLW**   M 1873-87 **NLW**   B 1873-88 **NLW**

*LLANLLWCHAIARN/LLANLLWCHAEARN gweler uchod/see above

LLANRHAEADR-YM-MOCHNANT Brithdir/Rhos y Brithdir *CM*
O.S. ref. SJ 13652281
C 1806-37 **PRO** 1806-62 **NLW**

LLANRHAEADR-YM-MOCHNANT Tabernacle *Cong.*
O.S. ref. SJ 12202604
C 1810-37 **PRO**

LLANSANFFRAID DEUDDWR/DEYTHUR *PM*
O.S. ref. SJ 23811736
C 1867-1973 • **SRO**

LLANSANFFRAID-YM-MECHAIN/LLANSANTFFRAID POOL Gwern-y-pant *CM*
O.S. ref. SJ 23101892
C 1793-1837 **PRO**

LLANSANFFRAID-YM-MECHAIN/LLANSANTFFRAID POOL Bethesda *Cong.*
O.S. ref. SJ 21782005
C 1814-36 **PRO** 1841-74, 1880-92 **UWB** M 1841-74, 1880-92 **UWB**

LLANSANFFRAID-YM-MECHAIN/LLANSANTFFRAID POOL Pen-y-groes *Cong.*
O.S. ref. SJ 20882305
C 1814-36 **PRO**

LLANSANFFRAID-YM-MECHAIN/LLANSANTFFRAID POOL Bethel/Winllan/Voel
W
O.S. ref. SJ 21902032
C 1889-1949 • **SRO**

*LLANSANTFFRAID POOL/LLANSANFFRAID-YM-MECHAIN gweler uchod/see above

LLANWDDYN Bethel *CM*
O.S. ref. SJ 01661910
C 1808-37 **PRO**

LLANWNNOG Caersŵs, English *Bap.*
O.S. ref. SO 03319195
B 1869-1904 **NLW**

LLANWNNOG Caersŵs *CM*
O.S. ref. SO 03279187
C 1817-36 **PRO**

LLANWNNOG Pont-dôl-goch, Saron *CM*
O.S. ref. SO 00629392
C 1811-25, 1857-79 **NLW** 1813-32 **PRO**

LLANWNNOG Clatter, Shiloh   *W*
O.S. ref. SN 99789498
C 1907-71 • **NLW**

LLANWRIN   Seion   *CM*
O.S. ref. SH 80640512
C 1811-29 **NLW**   1811-37 **PRO**

LLANWYDDELAN   Adfa   *CM*
O.S. ref. SJ 06020109
C 1812-36 **PRO**   1815-23 **NLW**

MACHYNLLETH   Maengwyn   *CM*
O.S. ref. SH 74700078
C 1812-30 **NLW**   1812-37 **PRO**

MACHYNLLETH   Graig   *Cong.*
O.S. ref. SH 74680092
C 1791-1837 **PRO**   1842-65 **NLW**

MACHYNLLETH   Tabernacle   *W*
O.S. ref. SH 74620091
C 1808-85, 1895-7 • **NLW**   1816-37 **PRO**

MANAFON New Mills, Beulah   *CM*
O.S. ref. SJ 09920118
C 1810-1908 **NLW**   1812-37 **PRO**

MEIFOD Seion   *CM*
O.S. ref. SJ 15421326
C 1809-37 **PRO**   1812-28, 1867-8, 1875-97 **NLW** M 1873-87 **NLW**
B 1873-88 **NLW**

MEIFOD   Main   *Cong.*
O.S. ref. SJ 17861563
C 1821-37 **NLW**

MEIFOD   Sarnau, Salem   *Cong.*
O.S. ref. SJ 23561579
C 1810-36 **PRO**

*MONTGOMERY/TREFALDWYN   *CM*
O.S. ref. SO 22389665
C 1821 **NLW**

*NEWTOWN/Y DRENEWYDD Zion   *Bap.*
O.S. ref. SO 10939143
M 1947-87 **PSRO**

*NEWTOWN/Y DRENEWYDD   New Road, Bethel   *CM*
O.S. ref. SO 10969146
C 1812-16, 1875-97 **NLW**   M 1873-87 **NLW**   B 1873-88 **NLW**

*NEWTOWN/Y DRENEWYDD   Park Street   *Cong.*
O.S. ref. SO 10829146
B 1820-56 **PSRO**

*NEWTOWN/Y DRENEWYDD   Park Street   *PM*
O.S. ref. SO 10799145
C 1899-1913 **NLW**

*NEWTOWN/Y DRENEWYDD   Severn Place   *W*
O.S. ref. SO 10719170
C 1813-37 • **PRO**

*NEWTOWN/Y DRENEWYDD   gweler hefyd/see also LLANLLWCHAEARN/
LLANLLWCHAIARN

PENEGOES   Dylife, Rhyd-wen   *CM*
O.S. ref. SN 86419426
C 1815-30 **NLW**

PENNANT MELANGELL   Pen-y-bont-fawr, Bethania   *Cong.*
O.S. ref. SJ 08762455
C 1829-37 **PRO**

TRALLWNG,Y/WELSHPOOL   Ebenezer   *CM*
O.S. ref. SJ 22140763
C 1812-15, 1875-97 **NLW**   M 1873-87 **NLW**   B 1873-88 **NLW**

TRALLWNG,Y/WELSHPOOL   New Street   *Cong.*
O.S. ref. SJ 22410747
C 1788-1837 **PRO**

TRALLWNG,Y/WELSHPOOL   Brook Street   *PM*
O.S. ref. SJ 22130772
M 1926-33 **NLW**

TREFALDWYN/MONTGOMERY   *CM*
O.S. ref. SO 22389665
C 1821 **NLW**

TREFEGLWYS   Gleiniant   *CM*
O.S. ref. SN 97319113
C 1811-30 **NLW**   1811-37 **PRO**   B 1832-1914, 1937-8 **NLW**

TREFEGLWYS   Llawr-y-glyn, Ebenezer   *CM*
O.S. ref. SN 93049122
C 1811-34 **NLW**   1811-37 **PRO**   B 1870-1914 **NLW**

TREFEGLWYS Penffordd-las/Staylittle, Graig   *CM*
O.S. ref. SN 88569222
C 1812-22 **NLW**   1814-37 **PRO**

TREGYNON   Bethany   *CM*
O.S. ref. SO 09999878
C 1812-37 **PRO**   1814-21, 1869-83 **NLW**

UWCHYGARREG   Blaen-y-pant   *W*
O.S. ref. SN 77649821
C 1808-85, 1895-7 • **NLW**

*WELSHPOOL/Y TRALLWNG Ebenezer   *CM*
O.S. ref. SJ 22140763
C 1812-15, 1875-97 **NLW**   M 1873-87 **NLW**   B 1873-88 **NLW**

*WELSHPOOL/Y TRALLWNG   New Street   *Cong.*
O.S. ref. SJ 22410747
C 1788-1837 **PRO**

*WELSHPOOL/Y TRALLWNG   Brook Street   *PM*
O.S. ref. SJ 22130772
M 1926-33 **NLW**

YSTOG, YR/CHURCHSTOKE Hen Gapel/Old Chapel   *PM*
O.S. ref. SO 28659483
C 1887-1965 • **SRO**

MYNEGAI : INDEX

Betws Bledrws 2
Betws Cedewain 169
Betws Gwerful Goch 77
Betws Ifan 2
Betws Tir Iarll 111
Betws-y-coed 32
Betws-yn-Rhos 46
Beulah (Card.) 2
Bishopston 113
Bistre 61
Biwmares 87-8
Blackmill 121
Balck Park (Denb.) 59
Blackwood 137
Blaenafon 138
Blaenannerch 1
Blaenau 137
Blaenau Ffestiniog 78
Blaenau Gwent 136
Blaenavon 138
Blaen-cefn 9
Blaenclydach 127
Blaengarw 111
Blaenhonddan 110
Blaenpennal 2
Blaen-plwyf 8
Blaen-porth 2
Blaenrhondda 126-7
Blaen Rhymni 150
Blaen-waun 160
Blaen-y-pant 178
Blaina 137
Bochrwyd 73
Bodedern 88
Bodelwyddan 61
Bodfari 45
Bodorgan 94
Bodringallt 128
Boduan 32
Bont-ddu, Y 79
Bontdolgadfan 172
Bont-faen, Y 101-2
Bontfechan 42
Bont-goch 9
Bontnewydd, Y (Caern.) 43
Bontuchel, Y 52
Bôn-y-maen 98
Borth, Y 3-4
Borth-y-gest 44
Botwnnog 32-3
Boughrood 73
Bow Street 4
Brawdy 155
Brechfa (Brec.) 13
Brecon 11

Breudeth 155
Bridgend 102-3
Briery Hill 142-3
Brimaston Hall 156
Brithdir (Glam.) 112
Brithdir (Mer.) 79
Brithdir (Mont.) 175
Briton Ferry 103
Broncoed 72
Brongest 10
Bron-gwyn 2
Bronington 61
Bronnant 8
Brontecwyn 80
Bron-y-nant 46
Broughton (Denb.) 46-7
Broughton (Flint) 68
Brychgoed 15
Brychtyn 47
Brychtyn Newydd 47
Brymbo 47
Brynaerau 33
Brynbanadl 53
Bryncethin 123
Bryn-coch (Mer.) 83
Bryncroes 33
Bryn-crug 84
Bryndaionyn 51
Bryn-du 90
Bryn Ebenezer 56
Bryneglwys 48
Brynengan 40
Brynffynnon (Denb.) 60
Bryngwran 93
Brynhenllan 156
Bryniau 85
Bryn Mair 2
Bryn-mawr (Brec.) 11
Brynmelyn 43
Brynmenyn 123
Brynpydew 40
Bryn'refail 37
Bryn-rhos 38
Bryn'rodyn 39
Brynsiencyn 93
Bryn-y-gloch 52
Bryn-y-maen 22
Brynyrorsedd 56
Buckley 61-2
Builth 11-12
Burrows 98
Burry Port 28
Burry's Green 113
Burton 155-6
Burwen 87

Bwcle 61-2
Bwlan 38
Bwlch (Caern.) 39
Bwlch (Mer.) 82
Bwlchderwin 33
Bwlch-gwyn (Denb.) 47
Bwlch-gwynt 3
Bwlchnewydd 17
Bwlchtocyn 39
Bwlch-y-rhiw 18
Bwlchysarnau 73
Bylchau 48

Cadoxton 101
Caeathro 42
Caeo 20
Cae Pant-tywyll 119
Caerau (Mont.) 172
Caerdydd 103-6, 114-15
Caerfarchell 166
Caerfyrddin 17-18
Caerffili 106-7
Caergeiliog 88
Caergwrle 64
Caergybi 88-9
Caerhun (Bangor, Caern.) 43
Caerhun (Conwy, Caern.) 33
Caeriw 156
Caerleon 138
Caerllion 138
Caernarfon 35-6
Caerphilly 106-7
Caersŵs 175
Caer-went 138
Caerwys 62
Caldicot 138
Camros 156
Camrose 156
Canton 109
Cap Coch 96
Capel Als 24
Capel Celyn 82
Capel Coch (Caern.) 36
Capel Curig 33
Capel Cynon (Llanfihangel-y-Creuddyn, Card.) 6
Capel Dewi (Faenor Uchaf, Card.) 4
Capel Dewi (Llandysul, Card.) 6
Capel Elen 34
Capel Ffynnon 7
Capel Ficer 8
Capel Garmon 56
Capel Gwyn 93
Capel Helyg 40
Capel Hendre 23

Capel Isaac 22
Capel Madog 9
Capel Newydd (Pemb.) 161
Capel Nyth Clyd 89
Capel Seion (Card.) 5
Capel Uchaf (Clynnog) 33
Capel y Cwm 166
Capel y Cwrt 81
Capel y Dysteb 34
Capel-y-ffin 14
Capel y Glyn 82
Capel y Graig 31
Capel y Groes 59
Capel y Llan 80
Capel y Rhos 80
Caradog 4
Cardiff 107-9, 114-15
Cardigan 2
Carew 156
Carfan 159
Carmarthen 17-18
Carmel (Caern.) 38-9
Carmel (Flint) 62
Carnarfon 35-6
Carneddi 32
Carno 169
Caron-is-clawdd 3
Carreghofa 169
Carreghwfa 169
Carreg-lefn 89
Carrog 82
Carvan 159
Cas-bach (Castleton) 146
Cas-gwent 138
Cas-lai 156
Casllwchwr 100
Casnewydd 138-40
Castell-nedd 110
Castellnewydd Emlyn 18
Castleton 146
Cas-wis 156
Cefn (Denb.) 48
Cefn (Mon.) 152
Cefnarthen 24
Cefnbychan 48
Cefncanol 57
Cefn-coch 54
Cefncoedycymer 12
Cefncribwr 123
Cefnddwygraig 82
Cefnddwysarn 81
Cefnglasfryn 22
Cefn-iwrch 90
Cefn-mawr 48-9
Cefn Meiriadog 48

Ynys-y-bŵl 117
Yorath 16
Ysbyty Ifan 59
Ysbyty Ystwyth 10
Ysclydach 16
Ysgeifiog 72
Ysgubor-y-coed 10

Ystalyfera 124-5
Ystog, Yr 178
Ystrad (Rhondda) 128
Ystradgynlais 16
Ystradyfodwg 129
Ystumllwynarth 133
Ystumtuen 3